Si usted desea estar informado de nuestras publicaciones, sírvase remitirnos su nombre y dirección, o simplemente su tarjeta de visita, indicándonos los temas que sean de su interés.

Ediciones Martínez Roca, S. A.
Dep. Información Bibliográfica
Gran Via, 774   08013 Barcelona

# Hágase su test

# William Bernard y Jules Leopold

# Hágase su test

FONTANA
PRACTICA

Ediciones Martínez Roca, S. A.

Título original: *Test Yourself*,
publicado por Chilton Book Company, Radnor, Pennsylvania

Traducción de Horario González Trejo

© 1962 by William Bernard
© 1980, Ediciones Martínez Roca, S. A.
Gran Via, 774, 7.º - 08013 Barcelona
ISBN: 84-270-0585-7
Depósito legal: B. 13121 - 1988
Impreso por Libergraf, S. A. - Constitució, 19 - 08014 Barcelona

*Impreso en España — Printed in Spain*

# Introducción

Estas desafiantes pruebas te permitirán verte a ti mismo a través de unos cristales teñidos de ciencia. No necesitas un equipo costoso. Tampoco un laboratorio. Sin embargo, puedes aplicar técnicas psicológicas avanzadas a la evaluación de tu propia capacidad, talento y personalidad.

Pero es necesario que tengas en cuenta una advertencia. Puesto que éstas son pruebas que te vas a hacer a ti mismo —tú serás juez y jurado— es esencial una absoluta honestidad por tu parte.

No hagas trampas. No espíes las respuestas. No te adjudiques puntos dudosos o no ganados. Cualquier satisfacción que pudieras obtener engañándote sería semejante a la del que hace trampas jugando al solitario.

## Insistencia en la objetividad

*Hágase su test* es el primer manual popular de pruebas basado en un enfoque auténticamente científico. En este libro están a tu alcance los métodos en los que confían cada vez más los organismos gubernamentales, las universidades, todo tipo de instituciones y también la industria privada.

Asimismo, ésta es la primera obra de su género que excluye preguntas de naturaleza introspectiva o subjetiva. Incluso las aparentes excepciones contienen un rasgo peculiar que las separa de las subjetivas.

El problema de los cuestionarios subjetivos consiste en que te piden que hagas un juicio sobre ti mismo. Exigen que respondas con precisión a preguntas como: «¿Te consideras feliz? ¿Amas la vida? ¿Te sientes incómodo con las mujeres?»

Este tipo de preguntas continúan plagando las pruebas psicológicas de nuestros días, especialmente las de evaluación de la personalidad. Obviamente, toda pregunta subjetiva permite que los resultados se vean afectados por espejismos, racionalizaciones y previsión de la respuesta deseada. Este hecho, inconveniente en cualquier clase de prueba, sería fatal en las de autoaplicación.

En *Hágase su test*, la eliminación de cuestionarios y puntuaciones subjetivos no dice nada en contra de tu honradez. La realidad es que, por orgullosos que nos sintamos de poseer un juicio objetivo, resulta psicológicamente imposible vernos a nosotros mismos sin prejuicios. En consecuencia, pueden surgir distorsiones semejantes al *efecto de halo*, que tan bien conocen los psicólogos.

En las pruebas que siguen no encontrarás ninguna cuestión subjetiva que pueda deformar los resultados que obtengas.


*Respecto a tu puntuación*

No creas que estas pruebas van a indicar si eres «bueno» o «malo» en un campo determinado. Lo máximo que pueden ofrecerte es un indicio en cuanto a tu ubicación en un grupo.

En este libro encontrarás cuál es tu posición en la escala de puntuaciones que cierra cada prueba. La escala te indicará dónde te sitúa la puntuación obtenida: entre el porcentaje de adultos que ocupan el nivel más elevado de un grupo estandarizado, o entre aquellos que obtienen una puntuación más baja. Teóricamente, el grupo representa al conjunto en general.

## Error típico de medida

Naturalmente, tu puntuación estará sujeta a las mismas variaciones azarosas que afectan a todas las obras humanas.

No obstante, los psicómetras emplean un interesante método matemático para calcular en qué medida el azar, por sí solo, puede hacer variar la puntuación de una prueba. El método consiste en un cálculo estadístico de lo que se denomina *error típico*, o $s_e$.

El $s_e$ de tu puntuación te concierne directamente. Puedes interpretarlo como indicativo del número de puntos que has perdido o ganado mediante la intervención del azar.

El $s_e$ de la mayoría de las pruebas está indicado en el apartado «soluciones». En algunos casos se omite, dado que la prueba pertenece a un tipo que no permite el cálculo de un $s_e$ significativo.

# Primera parte

# Inteligencia general

# 1

## ¿Qué es el cociente intelectual?

En nuestros días, la expresión «cociente intelectual» aparece en labios de todos, aunque muy pocos comprenden su significado. Al igual que «complejo de inferioridad» y otros términos psicológicos que intervienen en el lenguaje, el de «cociente intelectual» se ha fijado sólidamente en el vocabulario... y, como todos los demás, con frecuencia es mal empleado.

Por un lado, la gente confunde frecuentemente el CI —*cociente intelectual*— con la edad mental. Y parte de esta confusión es debida a que la edad mental es lo que la prueba de inteligencia suele indicar. Pero, si se quiere determinar el CI, hay que considerar la edad mental en relación con la edad real en años y meses.

Tomemos por ejemplo a un chico de seis años con una edad mental de diez. Reconocerás que su desarrollo es diferente al de un muchacho de quince años cuya edad mental también es de diez. El CI es, sencillamente, un recurso adecuado para mostrar esta diferencia.

*Despistando al público*

Otro error común con respecto al CI puede adjudicarse a los supuestos «psicólogos» que tendrían que ser más responsables de lo que hacen.

A través de la televisión, la radio, los libros, los periódicos y las revistas de amplia tirada, estos pseudoexpertos difunden un torrente de pruebas y cuestionarios con títulos de este tipo:

*¿Cuál es tu CI en deportes?*
*Sección de CI.*
*Tu CI en literatura.*
*Cuestionario de CI.*
*Prueba de CI en sucesos de actualidad.*

El público es así engañado, pues ese tipo de pruebas miden actitudes o conocimientos, si es que miden alguna cosa. Todo lo contrario de lo que una auténtica prueba de CI intenta evaluar.

El hecho de que no leas la sección de deportes o de que no hayas ido a la universidad no significa que seas estúpido. La inteligencia no es una cuestión de conocimientos adquiridos, sino que está en relación con tu capacidad de aprendizaje. El cociente intelectual, por su parte, tampoco es una medida de lo que has aprendido, sino de tu capacidad para aprender.

Un defecto de casi todas las pruebas de inteligencia consiste en que, en cierto modo, se basan en los conocimientos. La prueba que ofrecemos aquí, por ejemplo, supone que sabes leer.

## Conocimientos y puntuaciones falsas

Dichos supuestos pueden conducir a resultados falsos. Por otro lado, desde los tiempos de Binet la investigación psicológica ha establecido una relación entre la inteligencia y ciertas formas de conocimiento. Así, se ha descubierto que la lectura comprensiva y la amplitud de vocabulario varían en relación tan íntima con la inteligencia, que a menudo se utilizan como guías de la inteligencia... y con resultados sorprendentemente coherentes. En la prueba que sigue se ha incluido una serie de preguntas directamente relacionadas con el vocabulario, por razones de rapidez y conveniencia, *que puede conducir a una puntuación distorsionada si eres extranjero o tienes dificultades de lenguaje.*

Todas las preguntas han sido cuidadosamente seleccionadas para que sean válidas y lógicas. El examen ofrece una fiabilidad (de re-prueba) de 0,87, y en ningún caso deja de relacionarse como mínimo en 0,81 con las escalas de Stanford-Binet, Kuhlmann, Terman y otras parecidas, incluyendo las del Grupo Dominion y la de Wechsler. Los equivalentes de edad mental que ofrecemos se han extraído mediante comparaciones estadísticas satisfactorias de puntuaciones obtenidas por los mismos individuos en las pruebas mencionadas y en la que aquí ofrecemos.

*Prueba para adultos*

Esta prueba está destinada, en primer lugar, a adultos, y sólo operará adecuadamente si la persona que se somete a ella tiene más de trece años de edad.

Pero para calcular el CI adulto es esencial saber a qué edad la inteligencia es «adulta» o, en otras palabras, alcanza su plena madurez. Los cálculos de los psicólogos varían. En épocas pasadas oscilaban entre los doce o trece años y los veintiuno. Sin embargo, en nuestros días, la mejor información psicológica indica que el pleno desarrollo mental se alcanza entre los quince y los diecisiete años.

Con respecto a esta prueba, la edad de máximo desarrollo se fija en quince años y medio, o 186 meses. Esta cifra es un promedio deducido de pruebas de inteligencia de reconocida categoría. La graduación está hecha de tal manera que sólo pueden producirse distorsiones poco importantes en el CI obtenido por menores de quince años y medio. Este hecho queda compensado por la creciente exactitud de los resultados correspondientes a mayores de esa edad, para quienes está destinada la prueba.

*Imaginando tu CI*

Para encontrar tu cociente intelectual, procede de la siguiente manera una vez hecha la prueba:

1. Examina la tabla que se encuentra al final de la prueba para localizar la edad mental equivalente a tu puntuación.
2. SI TIENES MENOS DE QUINCE AÑOS Y MEDIO, divide la edad mental por tu propia edad en meses. Haz la división con dos decimales.

3. SI TIENES QUINCE AÑOS Y MEDIO O MÁS, divide la edad mental por 186. Haz la división con dos decimales.
4. Multiplica tu respuesta por 100. La cifra resultante corresponde a tu CI.

He aquí dos ejemplos:

*Una persona de catorce años y tres meses de edad alcanza una puntuación de 60 (60 respuestas correctas) en la prueba.*
La tabla muestra que 60 es equivalente a una edad mental de 216.
216 dividido por 171 (edad de esa persona en meses) es igual a 1,26.
1,26 multiplicado por 100 da como resultado 126; o sea, que el sujeto tiene un CI de 126.

*Un adulto de cuarenta y seis años de edad alcanza una puntuación de 30 (30 respuestas correctas) en la prueba.*
La tabla muestra que 30 es equivalente a una edad mental de 153.
153 dividido por 186 es igual a 0,82.
0,82 multiplicado por 100 da como resultado 82; o sea, que el sujeto tiene un CI de 82.

INSTRUCCIONES: *En esta prueba trabaja con la mayor rapidez posible, aunque sin sacrificar la precisión. Si lo deseas, puedes hacer cálculos en los márgenes de la página o en una hoja de papel. Recuerda que no debes detenerte demasiado tiempo en una sola pregunta; salta las que te resulten demasiado difíciles y vuelve luego a ellas, si te sobra tiempo.*
*Cada una de las preguntas se explica por sí misma. A continuación presentamos algunas preguntas de muestra, con las respuestas correctas tal como debes escribirlas tú.*

91. HOMBRE es a CHICO COMO MUJER es a
(1) niña (2) chavala (3) dama (4) chica (5) persona . (4)

92. En esta serie, ¿cuál es el número que sigue?
2, 4, 6, 8 . . . . . . . . . . . . . . . (10)

93. Estas palabras pueden ordenarse de manera tal que formen una oración. Si la oración es verdadera, escribe V; si la oración es falsa, escribe F.

SON LOS VERDES NUNCA ÁRBOLES . . . . . . . (F)
(*Las palabras pueden colocarse formando la oración* LOS ÁRBOLES NUNCA SON VERDES, *que es falsa.*)

94. En este grupo, ¿qué objeto no corresponde?
(1) lápiz (2) lapicero (3) tiza (4) pincel (5) palo . . (5)
(*Puedes dibujar o escribir con lápiz, lapicero, tiza o pincel, pero no con un palo.*)

*De vez en cuando echa un vistazo al reloj o, mejor aún, pide a alguien que cuente el tiempo. Si trabajas más tiempo del permitido, tu puntuación será falsa. En cuanto hayas comprendido bien las preguntas de muestra, comienza la prueba.*

LÍMITE DE TIEMPO: 45 MINUTOS

AQUÍ COMIENZA LA PRUEBA——————————

1. TROMPETA es a INTERPRETAR como LIBRO es a
(1) divertir (2) leer (3) música (4) palabras (5) descanso . . . . . . . . . ( )

2. AUTOMÓVIL es a RUEDA como CABALLO es a
(1) pata (2) cola (3) galope (4) vagón (5) conducir . . . . . . . . . . . . ( )

3. En esta serie, ¿cuál es el número siguiente?
3, 9, 15, 21 . . . . . . . . . . . ( )

4. VACA es a ESTABLO como HOMBRE es a
(1) cuadra (2) leche (3) casa (4) granja (5) restaurante . . . . . . . . . . . ( )

17

5. 1, 2, 3, 4, 5, 6, 7, 8, 9, 10, 11, 12, 13, 14, 15, 16
¿Qué número es el séptimo después del número
inmediatamente anterior al 6? . . . . . ( )

6. Estas palabras pueden ordenarse de tal manera
que formen una oración. Si la oración es verdadera, escribe V; si la oración es falsa, escribe F
MADERA SECA SE QUEMA NO LA . . . . . ( )

7. Estas palabras pueden ordenarse de tal manera
que formen una oración. Si la oración es verdadera, escribe V; si la oración es falsa, escribe F
FLOTAN LOS BOTES EN NO AGUA EL . . . . . ( )

8. En esta serie, ¿cuál es el número siguiente?
1, 3, 5, 7 . . . . . . . . . . . . ( )

9. Estas palabras pueden ordenarse de tal manera
que formen una oración. Si la oración es verdadera, escribe V; si la oración es falsa, escribe F
UN PALO JUEGA CON BÉISBOL EL SE . . . . ( )

10. NEGLIGENTE significa
(1) descuidado   (2) prudente   (3) poco importante
(4) cuidadoso . . . . . . . . . ( )

11. Juanito tiene 10 monedas. Si tuviera 3 monedas
menos tendría la mitad que Jorge. ¿Cuántas monedas más que Juanito tiene Jorge?
(a) 7 monedas   (b) 4 monedas   (c) 2 monedas
(d) 13 monedas . . . . . . . . . ( )

12. ÉL es a SUYO COMO ELLA es a
(1) mí   (2) ellas   (3) suyas   (4) suya   (5) su . . ( )

13. En este grupo, ¿qué objeto no corresponde?
(1) radio   (2) batería   (3) caldera   (4) teléfono . ( )

14. En este grupo, ¿qué objeto no corresponde?
(1) sable   (2) estoque   (3) cimitarra   (4) lanza
(5) machete . . . . . . . . . . ( )

15. Sólo los pájaros tienen plumas, en consecuencia, ¿cuál de estas oraciones es verdadera?
(1) Los pájaros mudan en primavera.
(2) Todas las plumas son ligeras.
(3) Las víboras no tienen plumas . . . . . ( )

16. En este grupo, ¿qué palabra no corresponde?
(1) arquitecto (2) constructor (3) fontanero (4) doctor . . . . . . . . . . . . ( )

17. En esta serie, ¿cuál es el número siguiente?
90, 85, 75, 60, 40 . . . . . . . . . ( )

18. En esta serie, ¿cuál es el número siguiente?
22, 33, 44, 55, 66 . . . . . . . . . ( )

19. BOTÁNICO es a SOCIÓLOGO como PLANTA es a
(1) mujeres (2) problemas (3) sociedad (4) sociología . . . . . . . . . . . ( )

20. Si una persona está TURBADA, es o está
(1) ignorante (2) maniática (3) asustada (4) aturdida . . . . . . . . . . . ( )

21. HEBRA es a TELA como ALAMBRE es a
(1) tieso (2) radio (3) túnica (4) rejilla (5) metal . . . . . . . . . . . . ( )

22. La SANIDAD se ocupa de la
(1) santidad (2) salud (3) porcelana (4) agua . ( )

23. En esta serie, ¿cuál es la letra siguiente?
A C D F H . . . . . . . . . . . ( )

24. En esta serie, ¿qué número no corresponde?
1, 19, 8, 5, 145, 127 . . . . . . . . ( )

25. Escribe la letra que está tan alejada de la primera letra del abecedario como la segunda I de la primera I de INTELECTIVO . . . . . . ( )

26. En esta serie, ¿qué letra no corresponde?
Z Y X Q V U . . . . . . . . . . . . ( )

27. es a como es a

(a) (b) (c) (d) (e)   . . ( )

28. Estas palabras pueden ordenarse de tal manera que formen una oración. Si la oración es verdadera, escribe V; si la oración es falsa, escribe F
NO DESTRUIR BOMBAS Y CIUDADES LAS HOMBRES PUEDEN . . . . . . . . . . . . . . ( )

29. En esta serie, ¿cuál es el número siguiente?
18, 12, 15, 10, 12, 8 . . . . . . . . . ( )

30. Si A y B son letras escribe C, a no ser que 5 más 5 sumen 10, en cuyo caso no escribas nada salvo una D . . . . . . . . . . . . ( )

31. Estas palabras pueden ordenarse de tal manera que formen una oración. Si la oración es verdadera, escribe V; si la oración es falsa, escribe F
VERDADEROS POSTIZOS LOS DIENTES NO SON . . . ( )

32. es a como es a

(a) (b) (c) (d) (e)
. . ( )

33. es a como es a

(a) (b) (c) (d) (e)
. . ( )

34. En esta serie, ¿qué número no corresponde?
2, 6, 17, 54, 162 . . . . . . . . . . . ( )

35. En esta serie, ¿cuál es la letra siguiente?
A C E I . . . . . . . . . . . . . ( )

36. ⬜ es a ⬛ como ⬛ es a

(a) ◿ (b) ◺ (c) ◹ (d) ⬛ (e) ◹

. . ( )

37. En esta serie, ¿cuál es el número siguiente?
21, 20, 18, 15, 11 . . . . . . . . . ( )

38. SUR es a NOROESTE COMO OESTE es a
(1) norte (2) sudoeste (3) nordeste (4) sudeste . ( )

39. En esta serie, ¿qué número no corresponde?
2, 4, 100, 38, 20, 7 . . . . . . . . ( )

·40. En este grupo, ¿qué palabra no corresponde?
(1) tristeza (2) melancolía (3) pena (4) luto . ( )

41. En esta serie, ¿cuál es la letra siguiente?
A C B CH E D F . . . . . . . . ( )

42. 1, 2, 3, 4, 5, 6, 7, 8, 9, 10, 11, 12, 13, 14, 15, 16, 17
Escribe el número que está tantos lugares antes
del 14 en esta serie como la letra K después de
la F en el abecedario . . . . . . . . ( )

43. Si todos los hombres tienen abrigos, los hombres
grandes tienen
(1) abrigos grandes (2) menos abrigos (3) abrigos (4) pocos abrigos . . . . . . . ( )

44. En esta serie, ¿cuál es el número siguiente?
18, 24, 21, 27, 24, 30 . . . . . . . . ( )

45. Los nazis SAQUEARON ciudades por medio de
(1) armas de fuego (2) incendios (3) destrucción
(4) robos (5) derribos . . . . . . . ( )

46. En esta serie, ¿cuál es el número siguiente?
66, 63, 57, 45 . . . . . . . . . . . .  (  )

47. es a ◯ como ▯ es a

(a) ▯  (b) ●  (c) ■  (d) ▮  (e) ◯  . .  (  )

48. En esta serie, ¿cuál es el número siguiente?
2, 9, 6, 7, 18, 5 . . . . . . . . .  (  )

49. PLANO es a SÓLIDO como LÍNEA es a
(1) cuadrado  (2) círculo  (3) ángulo  (4) rectángulo  (5) plano . . . . . . . . .  (  )

50. ¿Cuántos kilómetros puede recorrer un perro en
3 minutos si avanza a la mitad de la velocidad que
un coche que recorre 40 kilómetros por hora? .  (  )

51. Una canoa siempre tiene
(1) remos  (2) velas  (3) agua  (4) pintura  (5) es-
lora . . . . . . . . . . . . .  (  )

52. En esta serie, ¿cuál es el número siguiente?
65, 68, 72, 77, 83 . . . . . . . . .  (  )

53. ¿Cuántas letras de esta línea están junto a vocales pero después de la K o la R?
P A U L E G K A T L O I R Q O Z . . . . .  (  )

54. En esta serie, ¿cuál es el número siguiente?
2, A, 9, B, 6, C, 13, D . . . . . . . .  (  )

55. En esta línea, ¿cuántas letras hay después de la
K, pero tanto antes de la R como después de la T?
A A B K M X J T T V C R R P L . . . . .  (  )

56. 20 hombres pueden cavar 40 hoyos en 60 días, ¿en
cuántos días pueden cavar 20 hoyos 10 hombres? .  (  )

57. ¿Cuántas letras de esta serie están inmediatamente antes de un número impar e inmediatamente después de un número mayor que 6?
Z, 1, 9, A, 4, B, 3, 14, 19, C, 8, 9, B, 5, D, 12, E, 17 . ( )

58. Supongamos que, en un campeonato, Bilbao ocupa el primer puesto y Valencia el quinto, mientras que Madrid se encuentra exactamente entre ambos. Si Barcelona está antes que Valencia y Cádiz inmediatamente después de Madrid, ¿qué ciudad ocupa el segundo lugar ?
(a) Cádiz (b) Valencia (c) Barcelona (d) Madrid (e) Bilbao . . . . . . . . . ( )

59. Estas dos series están en orden opuesto, excepto un número. Escribe ese número.
1, 2, 3     1, 3, 2 . . . . . . . . . . ( )

60. Un consejo ACCESIBLE es un consejo
(1) malo (2) amplio (3) comprensible (4) bueno (5) reprensible . . . . . . . . ( )

61. En este grupo, ¿qué palabra no corresponde?
(1) la (2) un (3) el (4) eso (5) unos . . . ( )

62. ¿El significado de cuál de estas palabras se aproxima más al de ES?
(1) ser (2) son (3) vive (4) existe (5) está . . ( )

63. Un CENTURIÓN es un
(1) soldado (2) torso (3) animal mitológico (4) luchador . . . . . . . . . . ( )

64. MORRO es a MORO como CARRO es a
(1) árabe (2) hocico (3) diligencia (4) caro (5) rueda . . . . . . . . . . . ( )

65. INEXORABLE es lo contrario de
(1) aburrido (2) imperdonable (3) condescendiente (4) conmutable . . . . . . . . ( )

66. La mitad de las ganancias de un camarero, más un dólar, provienen de las propinas. Si gana 15 dólares, ¿cuántos dólares obtiene de las propinas?. ( )

67. ¿El significado de cuál de estas palabras se aproxima más al de OPULENTO?
(1) escandaloso (2) gema (3) acaudalado (4) semidesnudo (5) lastimero . . . . . . . ( )

68. Si un tren lleva 3 minutos de retraso y pierde 3 segundos por minuto, ¿cuántos minutos más le llevará al tren circular con una hora de retraso?. ( )

69. ¿El significado de cuál de estas palabras se aproxima más al de ABOLIR?
(1) remitir (2) anular (3) restar (4) apartar (5) expulsar . . . . . . . . . . ( )

70. Las chicas siempre tienen
(1) novio (2) ropa (3) sortijas (4) pelo (5) figura . . . . . . . . . . . . ( )

71. Un tren que avanza a 30 kilómetros por hora se encuentra delante de otro que corre a 50 kilómetros por hora. ¿A cuántos kilómetros de distancia están los trenes si el tren más veloz tardara 15 minutos en alcanzar al más lento? . . . . . ( )

72. El significado de PICARSE se asemeja al de
(1) horadarse (2) emperifollarse (3) embrujarse (4) resentirse (5) apenarse . . . . . . . ( )

73. Un tren recorre la mitad de un trayecto a 30 kilómetros por hora y la otra mitad a 60 kilómetros por hora. Si la totalidad del trayecto era de 20 kilómetros, ¿cuántos minutos tardó el tren en recorrerlo completamente? . . . . . . . ( )

74. Escribe la respuesta:
A B D es a C B A como QRT es a . . . . . . ( )

75. Si 2 es A y 6 es C y 8 es CH y 14 es F, ¿cómo deletrearías BECADA empleando números en lugar de letras? . . . . . . . . . . . . ( )

76. Cuando la tía Julia prepara sopa, pone 1 judía por cada 2 guisantes. Si su sopa contiene un total de 300 guisantes y judías, ¿cuántos guisantes hay en la sopa?. . . . . . . . . . . . ( )

77. Ningún perro puede cantar, pero algunos pueden hablar. En ese caso,
(1) algunos perros cantan.
(2) los perros no cantan.
(3) los perros no hablan . . . . . . . ( )

78. Ningún hombre es bueno, pero algunos no son malos. En ese caso,
(1) los hombres son malos.
(2) los hombres son buenos.
(3) no todos los hombres son malos . . . . ( )

79. El río Potomac y el río Hudson tienen una longitud combinada de 850 millas, y el río Hudson es 250 millas más corto que el Potomac. ¿Cuántas millas de longitud tiene el Potomac? . . . . ( )

80. García y Martínez fueron al hipódromo, donde García perdió 68 dólares en las 2 primeras carreras, perdiendo 6 dólares más en la segunda que en la primera. Pero en la segunda carrera perdió 4 dólares menos que Martínez. ¿Cuánto perdió Martínez en la segunda carrera? . . . . . . . ( )

81. Las medias siempre tienen
(1) sensualidad (2) costuras (3) ligas (4) peso
(5) transparencia . . . . . . . . . . ( )

82. En esta serie, ¿cuál es el número siguiente?
9, 7, 8, 6, 7, 5 . . . . . . . . . . ( )

83. En un racimo de plátanos hay un tercio de plátanos más que en el segundo. Si el segundo racimo tiene 3 plátanos menos que el primero, ¿cuántos plátanos tiene el primer racimo? . . . . . . ( )

84. es a como es a

(a) (b) (c) (d) (e) . . ( )

85. Las aves sólo pueden volar y saltar, pero los gusanos pueden arrastrarse. Por lo tanto,
(1) las aves comen gusanos.
(2) las aves no se arrastran.
(3) a veces las aves se arrastran . . . . . ( )

86. Las cajas siempre tienen
(1) ángulos (2) forma (3) madera (4) cordeles . ( )

87. ¿Qué número es tanto más que 10 como menos que la mitad de la cifra que es 10 menos que 30? . ( )

88. Moreno obtiene el doble de beneficios que cualquiera de sus tres socios. Los tres socios reciben partes iguales. ¿Qué fracción de la totalidad de los beneficios corresponde a Moreno? . . . . . ( )

89. PÁJARO es a PEZ COMO AVIÓN es a
(1) bote (2) ballena (3) mejillón (4) barco (5) submarino . . . . . . . . . . ( )

90. Estas palabras pueden ordenarse de tal manera que formen una oración. Si la oración es verdadera, escribe V; si la oración es falsa, escribe F
UN SON CANTIDAD QUE LIBRO MÁS LIBROS . . . . ( )

## TABLA DE EDADES MENTALES (EN MESES)

| Puntos | Edad mental | Puntos | Edad mental | Puntos | Edad mental |
|---|---|---|---|---|---|
| 2 | 94 | 32 | 157 | 61 | 218 |
| 3 | 96 | 33 | 159 | 62 | 221 |
| 4 | 98 | 34 | 162 | 63 | 223 |
| 5 | 100 | 35 | 164 | 64 | 225 |
| 6 | 103 | 36 | 166 | 65 | 227 |
| 7 | 105 | 37 | 168 | 66 | 229 |
| 8 | 107 | 38 | 170 | 67 | 231 |
| 9 | 109 | 39 | 172 | 68 | 233 |
| 10 | 111 | 40 | 174 | 69 | 235 |
| 11 | 113 | 41 | 176 | 70 | 237 |
| 12 | 115 | 42 | 178 | 71 | 240 |
| 13 | 117 | 43 | 181 | 72 | 242 |
| 14 | 119 | 44 | 183 | 73 | 244 |
| 15 | 122 | 45 | 185 | 74 | 246 |
| 16 | 124 | 46 | 187 | 75 | 248 |
| 17 | 126 | 47 | 189 | 76 | 250 |
| 18 | 128 | 48 | 191 | 77 | 252 |
| 19 | 130 | 49 | 193 | 78 | 254 |
| 20 | 132 | 50 | 195 | 79 | 256 |
| 21 | 134 | 51 | 197 | 80 | 259 |
| 22 | 136 | 52 | 199 | 81 | 261 |
| 23 | 138 | 53 | 202 | 82 | 263 |
| 24 | 140 | 54 | 204 | 83 | 265 |
| 25 | 143 | 55 | 206 | 84 | 267 |
| 26 | 145 | 56 | 208 | 85 | 269 |
| 27 | 147 | 57 | 210 | 86 | 271 |
| 28 | 149 | 58 | 212 | 87 | 273 |
| 29 | 151 | 59 | 214 | 88 | 275 |
| 30 | 153 | 60 | 216 | 89 | 278 |
| 31 | 155 | | | | |

TU CI ......

CI PROMEDIO: 101

| | | |
|---|---|---|
| SUPERIOR | (UNO POR CIENTO MÁS ELEVADO) | más de 140 |
| EXCELENTE | (TRES POR CIENTO SIGUIENTE) | 131-140 |
| BUENO | (VEINTISÉIS POR CIENTO SIGUIENTE) | 111-130 |
| NORMAL | (CUARENTA Y DOS POR CIENTO SIGUIENTE) | 91-110 |
| FLOJO | (VEINTICUATRO POR CIENTO SIGUIENTE) | 71-90 |
| INFERIOR | (CUATRO POR CIENTO MÁS BAJO) | menos de 71 |

# 2

# ¿Eres adaptable?

Algunos expertos defienden la idea de que la inteligencia es la capacidad de aprendizaje. Otros opinan que es la capacidad de resolver problemas. Otros la definen como *adaptabilidad*, o sea, la capacidad de ajustarse a las circunstancias específicas en que se encuentra una persona. Existe otra importante escuela de pensamiento —tan digna de confianza como cualquier otra— que sostiene que la inteligencia incluye la capacidad corporal, la rapidez de reflejos y otras características «físicas» similares. Porque, afirma esta escuela, si la inteligencia es adaptabilidad, ¿acaso la persona más fuerte y más rápida no se adapta generalmente mejor que la más lenta y débil?

## Contradicciones sólo aparentes

Las guías de inteligencia de este libro, sin embargo, no se dedican a las funciones de tu cuerpo por debajo del cuello, debido a que, en última instancia, es el funcionamiento cerebral el que produce la mayor adaptabilidad. Es verdad que el hombre no tiene las garras de un león, pero no trata de matar a un león a arañazos: inventa el rifle.

Todos coinciden en que esto es adaptabilidad. Todos coinciden en que esto es inteligencia... aunque pueden existir diferencias con respecto a su significado exacto. De hecho, entre las definiciones hay menos contradicciones de lo que parece a primera vista. Así, capacidad de aprendizaje significa, esencialmente, capacidad de aprender *a resolver problemas*. Un loro puede aprender a recitar números maquinalmente, pero es incapaz de resolver el problema de, por ejemplo, contar el número de personas que hay en una habitación... De modo que es menos «inteligente» que tú. Lo mismo ocurre con la adaptabilidad. Adaptarse a una situación significa *resolver los problemas* que plantea esa situación.

## La importancia de percibir las relaciones

Al profundizar en la cuestión de la adaptabilidad, los psicólogos han descubierto que, en gran medida, implica la percepción de las relaciones. Tú sabes, por experiencia, que cuando entras en una nueva situación ésta te plantea nuevos problemas, y que cuanto antes descubras sus elementos y la forma en que se relacionan entre sí, antes resolverás esos problemas. El tipo de preguntas que aquí presentamos formaban parte del cuestionario general de CI. Si la puntuación que obtuviste en el CI te decepcionó, esta prueba puede mostrarte la razón. Los elementos de cada línea representan una serie, o sea, que se puede encontrar una relación definida entre ellos. ¿Hasta qué punto sabes percibir las relaciones, comprender las situaciones?

INSTRUCCIONES: *Las cifras, letras o figuras de cada línea siguen una secuencia definida. Llena el espacio en blanco con la que corresponde a continuación. Por ejemplo: 13, 11, 9, 7, 5, representa una secuencia cuya cifra siguiente debe ser 3.*

LÍMITE DE TIEMPO: 10 MINUTOS

1.  20, 17, 14, 11 . . . . .

2.  16, 15, 13, 12, 10, 9 . . . . .

3. G f E d CH c . . . .

4. 3, 8, 5, 10, 7 . . . .

5. J L M Ñ P . . . . .

6. A A C B B CH . . . . .

7. 1, 3, 9, 27 . . . . .

8. 47, 38, 30, 23, 17 . . . . .

9. . . . .

10. 5, 6, 4, 7, 3, 8 . . . . .

11. a C B ch E D f . . . . .

12. . . . .

13. . . . .

14. 10, 8, 16, 13, 39, 35 . . . .

15. A Z Y B X V . . . . .

16. 26, 20, 4, 16, 10, 2, 14 . . . .

17. * ** *** **** *** ** . . . .

18. * *** ** **** *** . . . .

19. 30, 15, 45, 15, 60 . . . .

20. A B CH F J N . . . . .

21. . . . .

22. . . . .

23. . . . .

24. 1, Z, 3, X, 4 . . . . .

25. 2, B, 4, CH, 6 . . . . . .

26. 1, 10, 2, 9, 3 . . . . .

27. M LL N L Ñ K . . . . .

28. 24, 15, 9, 6 . . . . . .

29. b Y ch V . . . . .

30. C e C E g E . . . . .

---

TU PUNTUACIÓN ......
PUNTUACIÓN PROMEDIO: 48

| | | |
|---|---|---|
| SUPERIOR | (DIEZ POR CIENTO MÁS ELEVADO) | 69-90 |
| BUENO | (VEINTE POR CIENTO SIGUIENTE) | 57-66 |
| REGULAR | (TREINTA POR CIENTO SIGUIENTE) | 48-54 |
| DEFICIENTE | (CUARENTA POR CIENTO MÁS BAJO) | 0-45 |

# 3

## ¿Comprendes realmente?

Tanto «capacidad para aprender» como «capacidad de resolver problemas» cuentan con ciertas ventajas como definiciones de inteligencia. Tienden a eliminar las contradicciones que surgen del empleo único de «adaptabilidad» como criterio. Por un lado, el individuo que tiene materia gris no siempre suele ser el más adaptable a una situación específica. La aplicación de pruebas mentales y de aptitud ha demostrado que a menudo la inteligencia va acompañada de aversión a las tareas rutinarias..., lo que en determinadas profesiones puede significar una desventaja más que un beneficio.

¡Como si no lo supieras! Entre tus amigos, ¿cuántos se sentirían dichosos o eficientes si trabajaran como lavaplatos?

### La otra cara de la moneda

Pero hay más. Tomemos dos ejemplos del caso contrario:
1. *Los perros comparativamente inteligentes, más que los tontos, son los últimos en sufrir un colapso en el laboratorio cuando están sometidos a tensiones que simulan las de nuestra civilización (frustración, constante necesidad de tomar decisiones, etcétera).*

**2.** *En contra de la creencia popular, en ambas guerras mundiales y en la guerra de Corea, los soldados de alto cociente intelectual sucumbieron con menos frecuencia que los de bajo CI a la neurosis de la guerra o a la fatiga de la batalla, bajo condiciones similares.*

Estos datos indican que la inteligencia todavía no ha sido descalificada como esencia de la adaptabilidad humana. Sí, existen pruebas de que un individuo inteligente es menos capaz de arreglárselas bajo ciertas condiciones, a causa de las tensiones emocionales o de otro tipo que acompañan a los cerebros bien dotados. La cuestión consiste en que es probable que ese mismo hombre sepa arreglárselas muy bien bajo una *variedad más amplia* de condiciones —en mayor número de ambientes o situaciones—, aunque fracase en una específica.

Una lombriz sobrevive con más de medio metro de tierra encima, pero el hombre no puede hacer lo mismo. No obstante, el hombre es capaz de vivir durante largos períodos en el Polo Norte, bajo el mar, en el cielo, incluso varias millas bajo tierra, en lugares donde moriría la lombriz, que no cuenta con un cerebro que le permita adaptarse a la situación.

## La percepción es el paso inicial

Lo antedicho nos lleva a la percepción, sin la cual no puede haber ningún aprendizaje, ninguna resolución de problemas. La percepción es el primer movimiento de todo el proceso de adaptación. Si no sabes *percibir* las características de tu entorno, tus esfuerzos de adaptación pueden ser puramente azarosos, como los de un hombre privado de sentidos, incapaz de diferenciar la noche del día, el calor del frío.

Suponemos que tú eres capaz de percepciones tan simples como las mencionadas, que todos tus sentidos funcionan perfectamente. Pero, ¿hasta qué punto sabes percibir las cosas con tu cerebro?

Esta prueba te proporciona la posibilidad de descubrirlo.

Cuando concluyas el primer apartado, descansa como mínimo cinco minutos antes de iniciar el segundo.

*Primer apartado*

INSTRUCCIONES: *Estudia la fila de muestra del grabado. Observarás que la primera y la quinta figuras son prácticamente idénticas, y que llevan una marca en la parte inferior.*

*De manera similar, en cada una de las filas numeradas hay dos figuras prácticamente idénticas. Márcalas.*

LÍMITE DE TIEMPO: 1 MINUTO

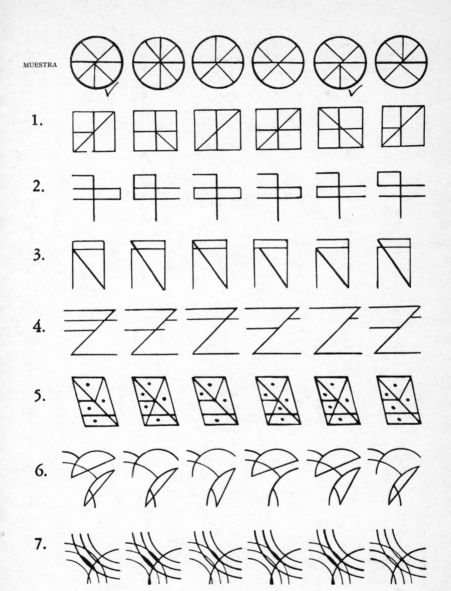

MUESTRA

1.

2.

3.

4.

5.

6.

7.

**INSTRUCCIONES:** *En cada línea hay dos grupos. Si los grupos son iguales, escribe una I. Si los grupos muestran alguna diferencia, escribe una D.*

## LÍMITE DE TIEMPO: 3 MINUTOS

| | Grupo 1 | Grupo 2 |
|---|---|---|
| 1. | psiquizootecnimonocromatoso | psiquizootecnimonacromatoso |
| 2. | 8 6 2 7 4 1 8 0 6 3 5 1 | 8 6 2 7 4 1 8 0 6 3 5 1 |
| 3. | José Luis M. Berrigoechea e hijos | José Luis M. Berrigochea e hijos |
| 4. | 8 7 5 6 4 5 3 7 0 9 8 5 7 4 3 2 2 | 8 7 5 6 4 5 3 7 0 9 8 5 7 4 3 2 2 |
| 5. | b46dhet78f7f0f9f81krjht | b46dhet78f7f0f9f8ikrjht |
| 6. | Gunnar Gael Galbaird, Jr. | Gunnar Gael Galbaird Jr. |
| 7. | agt.....56,q......oaglips......1496321 | agt.....56,q......oaglips.......1496321 |
| 8. | HEXATRIXIMENIA | HEXATRIXIMENIA |
| 9. | 2 3 5 5 6 5 4 5 5 3 5 7 5 8 5 6 3 8 2 | 2 3 5 5 6 5 4 5 5 3 5 7 5 8 5 6 3 8 2 |
| 10. | aglutinadamente tintinebulósico | aglutinadamente tintinabulósico |
| 11. | COMPAÑÍA ENERGÉTICA URANIO HEMISFÉRICA | COMPAÑÍA ENERGÉTICA URANIO HEMISFÉRICA |

12. aaiiuuuiiiauuiiaiiiaiiuiaiiaaiuua

13. PELUCAS Y PELUQUINES PELOPONESO, S.A.

14. tetrahidrobetanaptiladomina

15. A P T R .....P Y T R A.....T R A Y P

16. A R T R C R Y R T O R Y R A G Q P T R

17. Jonathan Algernon Pensitrone

18. 2acetofenoneortooxi-
quinolina

19. Brandywine, Goerck & Lars, Inc. & Son

20. WKopertszxxsjjshwbajjsiIIIIIILTLLLILLLI

TU PUNTUACIÓN ......
PUNTUACIÓN PROMEDIO: 35

SUPERIOR    (DIEZ POR CIENTO MÁS ELEVADO)
BUENO       (VEINTE POR CIENTO SIGUIENTE)
REGULAR     (TREINTA POR CIENTO SIGUIENTE)
DEFICIENTE  (CUARENTA POR CIENTO MÁS BAJO)

aaiiuuuiiiauuiiaiiiaiiuiaiiaaiuuia

PELUCAS Y PELUQUINES PELOPONESO, S.A.

tetrahidrobetanaptalidomina

A P T R .....P Y T R A.....T R A Y P

A R T R C R Y R T O R Y R A R G Q P T R

Jonathan Algernon Penistrone

2acetofenonoeortooxi:
quinolina

Brandywine, Goerck & Lars, Inc. & Son

WKopertszxxnsjjshwbajjsiIIIIIILTLLLILLI

85-100
78-84
71-77
0-33

# 4

# ¿Sabes concentrarte?

La mayoría de los psicólogos coinciden en que la atención es un componente fundamental de la inteligencia. La concentración puede definirse como la atención *exclusiva*. Tú sabes muy bien que si dedicas la totalidad de tu atención a una tarea —es decir, si te concentras en esa tarea— la desempeñarás con más precisión y más rápidamente que si permites que tu atención divague.

En un sentido estricto, la atención total no existe, al menos más allá de breves períodos. Los resultados de laboratorio parecen fijar el límite máximo del lapso de atención en 30 segundos o menos, aunque algunos cálculos lo elevan a 90 segundos. Más allá de este período de tiempo, la atención se aparta momentáneamente, para volver a la tarea que se tiene entre manos, mediante el proceso denominado «concentración».

Todos sabemos que los rayos del sol pueden encender un fuego si se los concentra a través de una lente. De manera semejante, tu energía puede producir un trabajo mejor si la concentras en el problema que tienes entre manos. La mente inteligente puede evitar las distracciones y concentrarse en lo esencial.

La que sigue es una prueba de concentración. En ella tendrás que examinar una cantidad de números, concentrando completamente tu mente en la localización de determinados pares. Puesto que se trata de una prueba de rapidez, si te distraes con los restantes números tu ritmo se verá afectado, lo que perjudicará tu puntuación.

INSTRUCCIONES: *En cada línea hay pares de cifras contiguas que suman 10. Descúbrelas y subráyalas. Por ejemplo:*

Z: 2 9 4 6 1 1 9 3 5 5 6 7 8 5 4 7

*Trabaja a la mayor velocidad posible. Ten cuidado de no exceder el límite de tiempo, pues en ese caso tu puntuación será falsa.*

LÍMITE DE TIEMPO: 7 MINUTOS

```
A: 2 9 1 4 8 7 5 6 3 9 4 6 7 8 8 3 1 2 3 4 5 6 7 8 9 8 7 6 5 4 3 7
B: 9 8 7 6 5 4 3 2 1 9 8 7 6 5 4 3 1 4 2 1 5 2 1 6 2 1 7 2 8 1 9 2
C: 1 2 3 4 5 6 7 8 9 1 2 3 4 5 6 7 1 5 2 1 6 3 1 7 4 6 1 3 5 1 2 4
D: 3 3 4 6 7 3 8 2 9 1 4 5 6 7 3 4 9 1 2 9 1 2 3 1 9 8 7 6 5 1 9 0
E: 5 3 9 8 2 7 7 4 6 7 5 3 7 0 9 8 8 0 2 8 3 8 2 0 8 2 4 6 5 9 3 4
F: 2 0 5 6 3 7 7 0 8 9 5 7 4 9 7 4 5 5 0 5 5 3 3 5 5 4 4 6 5 5 0 5
G: 6 4 3 2 8 9 7 6 3 7 8 2 0 9 3 8 2 4 5 7 8 6 4 0 1 8 2 5 8 6 4 0
H: 7 6 5 5 4 7 4 4 4 6 6 6 8 8 8 3 1 3 4 5 1 7 8 9 1 3 1 4 1 5 6 1
I: 3 2 1 3 2 1 1 2 3 1 2 3 5 4 3 7 8 2 3 9 2 3 7 2 3 6 3 2 4 3 7 6
J: 9 8 7 9 8 7 8 7 6 8 2 6 7 6 5 7 0 1 9 8 6 8 4 7 4 3 2 8 9 6 1 0
K: 1 9 8 7 3 8 2 6 4 5 5 9 1 0 8 8 4 2 3 4 5 6 8 3 4 5 6 7 9 4 6 7
L: 2 4 6 8 2 4 6 8 3 6 9 1 1 8 1 9 4 4 5 5 5 6 6 6 6 7 7 7 7 7 3 8
M: 8 3 6 5 9 1 7 2 3 7 5 9 4 3 7 6 7 7 6 6 5 5 4 4 3 3 2 2 1 1 9 9
N: 9 1 8 2 7 3 6 4 5 5 8 1 8 3 7 2 9 1 0 8 2 0 7 4 5 6 7 8 9 2 3 4
O: 2 7 3 4 8 5 5 6 4 7 2 3 7 8 0 2 6 7 7 5 6 7 5 6 7 5 6 4 5 7 6 6
P: 6 3 8 6 0 9 1 8 7 6 4 3 8 2 9 2 8 7 6 5 4 6 5 4 3 5 4 3 2 3 2 1
Q: 9 7 5 4 3 3 5 4 6 8 2 2 5 4 6 6 8 5 7 4 6 3 5 2 9 6 6 4 5 3 4 2
R: 4 0 4 3 9 3 4 7 3 6 8 2 4 7 4 6 3 6 4 7 5 8 6 9 7 2 8 3 7 2 8 3
S: 9 0 1 6 1 9 8 4 6 3 2 8 7 6 4 2 8 4 8 7 6 5 9 0 7 1 1 5 1 6 8 2
T: 8 3 6 5 4 2 8 9 6 6 1 0 3 6 8 2 6 7 5 4 6 9 8 4 5 7 3 4 2 8 9 1
U: 4 8 6 5 4 8 7 6 9 8 3 4 7 3 8 9 6 4 7 4 6 7 6 4 7 6 4 7 3 4 6 8
V: 8 9 5 7 3 8 6 9 0 1 0 2 8 5 3 7 8 2 3 2 8 1 8 1 7 1 6 1 5 6 4 8
W: 6 4 2 8 6 4 9 7 6 2 8 0 1 8 3 6 5 2 8 3 6 6 7 7 8 8 9 9 1 1 2 2
X: 4 8 2 9 5 1 6 3 8 3 7 8 4 6 7 5 2 2 6 6 3 3 7 7 4 4 8 8 5 5 9 9
Y: 6 2 4 8 2 7 4 6 3 8 9 6 1 9 8 4 8 3 2 8 4 5 5 9 1 8 2 6 4 3 7 9
```

## TU PUNTUACIÓN ......
## PUNTUACIÓN PROMEDIO: 45

| | | |
|---|---|---|
| SUPERIOR | (DIEZ POR CIENTO MÁS ELEVADO) | 0-26 |
| BUENO | (VEINTE POR CIENTO SIGUIENTE) | 27-37 |
| REGULAR | (TREINTA POR CIENTO SIGUIENTE) | 38-48 |
| DEFICIENTE | (CUARENTA POR CIENTO MÁS BAJO) | 49-143 |

# 5

## ¿Cómo funciona tu memoria?

Una inferioridad produce otra. Si tu atención es baja, tenderá a debilitar tanto la percepción como la memoria. El rayo de esperanza es que a menudo estas facultades pueden fortalecerse mediante el ejercicio. De modo que si no te va muy bien en las pruebas de memoria que siguen, podría beneficiarte practicar sistemáticamente la memorización de palabras, objetos, etcétera.

Más aún, la debilidad en un campo puede compensarse a veces por medio de la fortaleza en otro. Supón que tu percepción no es muy brillante pero tu memoria es buena; en tal caso, en una prueba mental de carácter general puedes obtener una puntuación tan buena como alguien que, por ejemplo, tiene buena percepción pero mala memoria.

De manera similar, el hombre de inteligencia media, pero con amplia experiencia, puede a veces resolver los problemas de la vida mejor que otro sumamente inteligente aunque con poca experiencia. La razón psicológica de este hecho consiste en que la experiencia retenida proporciona al cerebro más materiales para relacionar en un conjunto de elecciones, lo que hace más probable que la elección sea correcta.

## Diversos tipos de memoria

Al juzgar la inteligencia intentamos separarla de la experiencia. La memoria —o retención— se encuentra, por tanto, abierta a la crítica como uno de sus componentes, que puede pertenecer al nivel sensorial. Estarás de acuerdo en que un memorista experto no es necesariamente inteligente.

Pero, evidentemente, la memoria es una parte esencial del proceso de aprendizaje. Y la capacidad de retener experiencias —al margen de la magnitud de esa experiencia—, si bien no forma parte de la adaptabilidad es, como mínimo, un potencial de la misma.

La memoria puede dividirse en tipos según las variedades de imagen retenidas; recuerdas lo que oyes, lo que ves, lo que tocas, lo que saboreas, lo que sientes. La retención visual se presta mejor al tipo de pruebas que cada uno se hace a sí mismo, como las que presentamos en este libro. A continuación ofrecemos dos pruebas. Hazlas con media hora de descanso como mínimo entre una y otra.

*Primera*

**INSTRUCCIONES:** *Estudia las palabras del grabado durante 2 minutos exactamente. Escríbelas debajo del grabado si crees que eso te ayudará a recordarlas. Luego vuelve a esta página y escribe, en las líneas numeradas, tantas palabras como recuerdes.*

| | |
|---|---|
| 1. . . . . . . . | 11. . . . . . . . |
| 2. . . . . . . . | 12. . . . . . . |
| 3. . . . . . . | 13. . . . . . . |
| 4. . . . . . . | 14. . . . . . . |
| 5. . . . . . . | 15. . . . . . . |
| 6. . . . . . . | 16. . . . . . . . |
| 7. . . . . . . | 17. . . . . . . |
| 8. . . .. . . . | 18. . . . . . . |
| 9. . . . . . . | 19. . . . . . . |
| 10. . . . . . . . | 20. . . . . . . . |

1. . . . . . . .          11. . . . . . . .
2. . . . . . . .          12. . . . . . . .
3. . . . . . . .          13. . . . . . . .
4. . . . . . . .          14. . . . . . . .
5. . . . . . . .          15. . . . . . . .
6. . . . . . . .          16. . . . . . . .
7. . . . . . . .          17. . . . . . . .
8. . . . . . . .          18. . . . . . . .
9. . . . . . . .          19. . . . . . . .
10. . . . . . . .         20. . . . . . . .

**INSTRUCCIONES:** *Estudia los dibujos del grabado durante 2 minutos exactamente. Luego cúbrelos con la mano y reproduce todos los que puedas en el espacio inferior. Puedes reproducirlos en cualquier orden.*

TU PUNTUACIÓN ......
PUNTUACIÓN PROMEDIO: 17

| | | |
|---|---|---|
| SUPERIOR | (DIEZ POR CIENTO MÁS ELEVADO) | 23-32 |
| BUENO | (VEINTE POR CIENTO SIGUIENTE) | 19-22 |
| REGULAR | (TREINTA POR CIENTO SIGUIENTE) | 16-18 |
| DEFICIENTE | (CUARENTA POR CIENTO MÁS BAJO) | 0-15 |

# 6

## ¿Piensas correctamente?

A pesar de esmeradas investigaciones, persiste la incertidumbre con respecto a qué ingredientes componen la combinación de aptitudes que llamamos *inteligencia*. Sin embargo, no es necesario ser psicólogo para saber que la capacidad de razonamiento —al igual que la harina en la receta de un pastel— es el elemento más importante de la mezcla.

De hecho, tu capacidad de razonamiento consiste en tu habilidad para utilizar lo que tus sentidos indican. Es, en consecuencia, un estadio entre otros factores probables de la inteligencia, tales como la atención-percepción-memoria. Éstos, por sí solos, no pueden hacerte actuar inteligentemente. En el mejor de los casos *te ayudan* a hacerlo, participando de la transmisión, selección y retención de la información absorbida por tus ojos y oídos.

Pero es la capacidad de razonamiento la que integra esta información, la relaciona dato a dato, la modela; en síntesis, la capacidad de razonamiento te ofrece la posibilidad de sacar el mayor partido posible en las circunstancias presentadas por tus sentidos.

Según los mejores estudios psicológicos, la rapidez y exactitud deductivas ofrecen una evaluación bastante fiable de la capacidad de razonamiento. Las preguntas que siguen te ofrecen la posibilidad de averiguar hasta qué punto eres capaz de razonar con el método deductivo.

INSTRUCCIONES: *A cada conjunto de enunciados sigue una o varias conclusiones. Tienes que partir de la base de que los enunciados son correctos. Marca con una V˙ toda conclusión que consideres verdadera y lógica de acuerdo con los enunciados. Marca con una F toda conclusión que no consideres necesariamente verdadera de acuerdo con los enunciados. Marca TODAS las conclusiones, ya sea con una V o con una F. Por ejemplo:*

A.  Yo soy más alto que Juan. Juan es más alto que José. **Por lo tanto**
   1. .V.. *Yo soy más alto que José.*

B.  Mi hermano es jugador de un equipo de béisbol. Los equipos de béisbol tienen lanzadores. Por lo tanto
   1. .F.. *Mi hermano es un lanzador.*

C.  Si esta noche brillan las estrellas, mañana hará calor. Esta noche las estrellas brillan. Por lo tanto
   1. .F.. *Mañana no hará calor.*
   2. .F.. *Mañana por la noche brillarán las estrellas.*
   3. .V.. *Mañana hará calor.*

*A continuación comienza la prueba. Presta mucha atención.*

### LÍMITE DE TIEMPO: 20 MINUTOS

1.  Los elefantes son animales. Los animales tienen patas. Por lo tanto
   1. .... *Los elefantes tienen patas.*

2.  Mi ayudante no tiene edad para votar. Mi ayudante tiene un pelo hermoso. Por lo tanto
   1. .... *Mi ayudante es una chica menor de 18 años.*

3.  Pocas tiendas de esta calle tienen luces de neón, pero todas tienen toldo. Por lo tanto
   1. .... *Algunas tienen o toldos o luces de neón.*
   2. .... *Algunas tienen toldos y luces de neón.*

4. Todos los zubiletos tienen 3 ojos. Este cárpico tiene 3 ojos. Por lo tanto
   1. .... *Este cárpico es lo mismo que un zubileto.*

5. Las patatas son más baratas que los tomates. No tengo dinero suficiente para comprar dos kilos de patatas. Por lo tanto
   1. .... *No tengo dinero suficiente para comprar un kilo de tomates.*
   2. .... *Puedo o no tener dinero suficiente para comprar un kilo de tomates.*

6. Enrique Mayo es tan buen bateador como Manuel Peláez. Manuel Peláez es mejor bateador que la mayoría. Por lo tanto
   1. .... *Enrique Mayo debería ocupar el primer puesto en un campeonato.*
   2. .... *Manuel Peláez debería ocupar el primer puesto, especialmente en la vuelta completa.*
   3. .... *Enrique Mayo es mejor bateador que la mayoría.*

7. Los buenos músicos interpretan música clásica. Es necesario practicar mucho para ser buen músico. Por lo tanto
   1. .... *La música clásica exige más práctica que el jazz.*

8. Si tu hijo está mimado y lo zurras se pondrá furioso. Si no está mimado, zurrarlo te dará pena. Pero tu hijo está mimado o no está mimado. Por lo tanto
   1. .... *Zurrarlo te dará pena o lo pondrá furioso.*
   2. .... *Es posible que zurrarlo no sirva de nada.*

9. Los cuadrados son formas con ángulos. Esta forma no tiene ángulos. Por lo tanto
   1. .... *Esta forma es un círculo.*
   2. .... *Toda conclusión es dudosa.*
   3. .... *Esta forma no es un cuadrado.*

10. Sevilla está al nordeste de Huelva. Madrid está al nordeste de Huelva. Por lo tanto
   1. .... *Madrid está más cerca de Sevilla que de Huelva.*
   2. .... *Huelva está al sudoeste de Madrid.*
   3. .... *Madrid está cerca de Huelva.*

11. Si el verde es oscuro, el rojo es claro. Si el amarillo es claro, el azul es intermedio. Pero el verde es oscuro o el amarillo es claro. Por lo tanto
   1. .... *El azul es intermedio.*
   2. .... *El amarillo y el rojo son claros.*
   3. .... *El rojo es claro o el azul es intermedio.*

12. Conduces tu coche. Si frenas chocará contigo un camión que viene detrás. Si no frenas atropellarás a una mujer que cruza la carretera. Por lo tanto
   1. .... *Los peatones deberían mantenerse alejados de las carreteras.*
   2. .... *El camión va a demasiada velocidad.*
   3. ..... *Chocará contigo el camión o atropellarás a la mujer.*

13. Yo vivo entre la granja de Sebastián y la ciudad. La granja de Sebastián está situada entre la ciudad y el aeropuerto. Por lo tanto
   1. .... *La granja de Sebastián está más cerca de mi casa que del aeropuerto.*
   2. .... *Yo vivo entre la granja de Sebastián y el aeropuerto.*
   3. .... *Vivo más cerca de la granja de Sebastián que del aeropuerto.*

14. Un jugador prudente nunca se arriesga a menos que las probabilidades estén a su favor. Un buen jugador nunca se arriesga a menos que tenga mucho que ganar. Este jugador a veces se arriesga. Por lo tanto
   1. .... *Es un buen jugador o un jugador prudente.*
   2. .... *Puede ser o no un buen jugador.*
   3. .... *No es un buen jugador ni un jugador prudente.*

15. Cuando B es Y, A es Z. Cuando A no es Z, E es Y o Z. Por lo tanto
   1. .... *Cuando B es Y, E no es Y ni Z.*
   2. .... *Cuando A es Z, Y o Z es E.*
   3. .... *Cuando B no es Y, E no es Y ni Z.*

16. Cuando B es más grande que C, X es más pequeña que C. Pero C nunca es más grande que B. Por lo tanto
   1. .... *X nunca es más grande que B.*
   2. .... *X nunca es más pequeña que B.*
   3. .... *X nunca es más pequeña que C.*

17. En tanto el rojo sea X, el verde tiene que ser Y. En tanto el verde no sea Y, el azul tiene que ser Z. Pero el azul nunca es Z cuando el rojo es X. Por lo tanto
    1. .... *En tanto el azul sea Z, el verde puede ser Y.*
    2. .... *En tanto el rojo no sea X, el azul no tiene por qué ser Z.*
    3. .... *En tanto el verde no sea Y, el rojo no puede ser X.*

18. A veces los indios son americanos. A veces los americanos son abogados. Por lo tanto
    1. .... *A veces los indios no son necesariamente abogados americanos.*
    2. .... *Los indios no pueden ser abogados americanos.*

19. Seguir adelante no significaría la muerte sin deshonra, pero retroceder no significaría la deshonra sin muerte. Por lo tanto
    1. .... *Retroceder significaría la muerte sin deshonra.*
    2. .... *Seguir adelante podría significar la deshonra sin muerte.*
    3. .... *Seguir adelante podría singnificar la muerte sin deshonra.*

20. El pelotón B atacó al enemigo y quizá fue aniquilado. Pérez, un miembro del pelotón B, se recuperó en el hospital. Por lo tanto
    1. .... *El resto del pelotón B fue aniquilado.*
    2. ..... *Todo el pelotón B fue aniquilado.*
    3. .... *Todo el pelotón B no fue aniquilado.*

---

TU PUNTUACIÓN ......
PUNTUACIÓN PROMEDIO: 23

| | | |
|---|---|---|
| SUPERIOR | (DIEZ POR CIENTO MÁS ELEVADO) | 0-13 |
| BUENO | (VEINTE POR CIENTO SIGUIENTE) | 14-19 |
| REGULAR | (TREINTA POR CIENTO SIGUIENTE) | 20-25 |
| DEFICIENTE | (CUARENTA POR CIENTO MÁS BAJO) | 26-48 |

# 7

## ¿Hasta qué punto eres mentalmente rápido?

Volvemos al tema de la capacidad de razonamiento. Considerado desde otro ángulo, se reduce a la capacidad de resolver problemas utilizando la mente, lo cual, como hemos visto, puede representar todo lo referente a la inteligencia.

Podemos sentirnos inclinados a llamar «lista» a una persona a causa de su rápida atención, su profunda percepción y su espectacular memoria. No obstante, en seguida cambiaremos de idea si dichas condiciones no llevan a esa persona a conclusiones lógicas y a respuestas correctas.

Ya hemos probado la capacidad de razonamiento evaluando tu capacidad para la deducción. Ahora la mediremos evaluando tu capacidad para resolver problemas directos. Naturalmente, en todas las pruebas de este libro hay problemas y cada prueba es, en sí misma, un problema. Pero en este caso y en el cuestionario anterior, las preguntas están pensadas y graduadas de tal manera que las diferencias de puntuación indiquen, principalmente, diferencias en el factor racional.

En otras palabras, se han escogido preguntas que mantienen el vocabulario y otros elementos de la experiencia a los mejor dicho, estamos seguros de que tendrás tanta experiencia niveles que la mayoría de las personas alcanzamos. Esperamos, como el común de las gentes acerca de los temas de que tratan estos problemas.

De ser así, la puntuación te indicará con cierta precisión si eres tan brillante como siempre has creído.

*Primer apartado*

INSTRUCCIONES: *En cada serie faltan ciertos números o letras. Escribe los números o letras que faltan. Por ejemplo: En 2, 4, 6, ..., 10, ..., 14 tienes que escribir 8 en el primer espacio en blanco y 12 en el segundo. En A B C ... E ... G debes escribir D en el primer espacio en blanco y F en el segundo.*

LÍMITE DE TIEMPO: 8 MINUTOS

1.   3, 5, ..., 9, 11, ..., 15
2.   Z X Y ... V ... T
3.   A C D ... H J ...
4.   100, ..., 400, 800
5.   A ... U L
6.   9, 7, 11, ..., 13, 11, ..., 13

7.   ..., ..., 9, 27, 81, ...
8.   6, 8, 9, ..., 12, ..., 15
9.   1½, 3, ..., 18, ..., 108
10.  ..., 24, 29, ..., 33, 34, 35
11.  A...Z Y C CH X...D E...
12.  2, ..., 2000, 2000, 200

*Segundo apartado*

INSTRUCCIONES: *Llena los cuadrados en blanco con números que hagan que tanto las columnas verticales como las horizontales de cada diagrama sumen la cifra que aparece a la derecha de ese diagrama. No emplees números mayores de 9 ni utilices el 0.*

LÍMITE DE TIEMPO: 3 MINUTOS

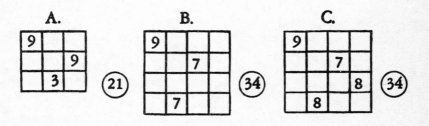

51

*Tercer apartado*

INSTRUCCIONES: *La siguiente es una lista de aves, pero se han mezclado las letras. Ordena las letras y, en los espacios en blanco, escribe las palabras correctamente. ORZINDOC, por ejemplo, con las letras en orden debe escribirse CODORNIZ.*

LÍMITE DE TIEMPO: 2 MINUTOS

1. . . . . . . . . . . . . . . OPAV

2. . . . . . . . . . . . . . . ALGLO

3. . . . . . . . . . . . . . . OLRO

4. . . . . . . . . . . . . . . ATOP

5. . . . . . . . . . . . . . . BOUH

6. . . . . . . . . . . . . . . ZIPRED

7. . . . . . . . . . . . . . . LIROM

8. . . . . . . . . . . . . . . AGRAZ

9. . . . . . . . . . . . . . . TRIEBU

10. . . . . . . . . . . . . . . VUREOC

11. . . . . . . . . . . . . . . MOLAPA

12. . . . . . . . . . . . . . . RONDALA

13. . . . . . . . . . . . . . . VOTIAGA

14. . . . . . . . . . . . . . . JORGA

15. . . . . . . . . . . . . . . NITORNOSE

*Cuarto apartado*

**INSTRUCCIONES:** *La siguiente es una lista de animales, pero se han mezclado las letras. Ordena las letras y en los espacios en blanco escribe las palabras correctamente. TRASOC, por ejemplo, con las letras en orden debe escribirse CASTOR.*

LÍMITE DE TIEMPO: 2 MINUTOS

1. . . . . . . . . . . . . . . . . TAOG

2. . . . . . . . . . . . . . . . . GETIR

3. . . . . . . . . . . . . . . . . ONAS

4. . . . . . . . . . . . . . . . . JEOVA

5. . . . . . . . . . . . . . . . . ENCOJO

6. . . . . . . . . . . . . . . . . BERAC

7. . . . . . . . . . . . . . . . . REPOR

8. . . . . . . . . . . . . . . . . YUBE

9. . . . . . . . . . . . . . . . . LARLAID

10. . . . . . . . . . . . . . . . . EBIRLE

11. . . . . . . . . . . . . . . . . IGOLAR

12. . . . . . . . . . . . . . . . . OLABLAC

13. . . . . . . . . . . . . . . . . ALFETENE

14. . . . . . . . . . . . . . . . . BARCA

15. . . . . . . . . . . . . . . . . ENOL

## TU PUNTUACIÓN ......
## PUNTUACIÓN PROMEDIO: 32

| | | |
|---|---|---|
| SUPERIOR | (DIEZ POR CIENTO MÁS ELEVADO) | 46-62 |
| BUENO | (VEINTE POR CIENTO SIGUIENTE) | 38-45 |
| REGULAR | (TREINTA POR CIENTO SIGUIENTE) | 30-37 |
| DEFICIENTE | (CUARENTA POR CIENTO MÁS BAJO) | 0-29 |

# Segunda parte

# Habilidad y aptitud

# 8

## ¿Tienes aptitud para la música?

¿Es posible medir la aptitud musical? Esta disposición desafía cualquier análisis e incluso cualquier definición, y entre los más destacados psicólogos que trabajan en este campo existe cierto desacuerdo en cuanto a cuáles son sus componentes. Tomemos por ejemplo la *inteligencia*. Podrías pensar que un individuo tiene que ser bastante inteligente para aprender solfeo. La famosa escuela de música Eastman, entre otras, ha considerado útil evaluar niveles de inteligencia para seleccionar a sus alumnos, pero ha encontrado muy poca correlación real entre la aptitud musical y la puntuación obtenida en las pruebas de inteligencia.

¿Qué decir del *buen oído, la buena voz, la perfecta entonación* y atributos similares? Indudablemente, éstos parecen tener alguna influencia en la aptitud musical. Las pruebas de Seashore y otras, que se apoyan principalmente en este tipo de discernimiento sensorial, en muchos casos han mostrado una correlación significativa con el talento musical. Pero en muchos otros análisis han caído en desuso porque no ofrecen datos significativos.

¿Y la *habilidad manual*? Es útil quizá para un violinista, pero no es aplicable del mismo modo a un compositor. ¿Las *relaciones espaciales*, la *aptitud para las matemáticas* y semejantes? Quizá sean útiles para un compositor, pero no podemos decir lo mismo con respecto a un violinista.

*En relación con tu «oído»*

Esto nos lleva a la *memoria musical*, que al menos tiene el mérito de contar con una amplia aprobación popular en tanto pauta, dado que la habilidad para recordar melodías, acordes y tonos es la medida más comúnmente aceptada de la inclinación musical. Por lo general, esto es lo que se entiende cuando se oye la frase «buen oído».

De hecho, las pruebas de memoria musical han mostrado, probablemente, la más alta correlación con la habilidad musical. Sin embargo, ¿ofrecen algún indicio en cuanto a la capacidad creativa, esencial para el artista de la música? ¡Nada de eso!

De cualquier manera, un análisis de la obra realizada en este campo y los resultados alcanzados ofrecen, en ciertos tipos de preguntas, guías bastante relacionadas con el talento musical. La característica que con mayor frecuencia se encuentra entre los músicos de talento parece ser la de «buen oído para la música»…, sumado a la capacidad de analizar y sintetizar lo que escucha este «buen oído». De modo que si respondes acertadamente a todas las preguntas de la prueba que sigue es prudente suponer que muestras como mínimo una aptitud musical latente.

*Desarrollo del don*

Si tienes éxito también en las pruebas relacionadas con la destreza manual, todo indica que la práctica podría convertirte en un instrumentista virtuoso. Si tu resultado es «superior» en las pruebas relativas a la creatividad, la asociación y el discernimiento, podrías orientar tu don musical hacia la composición y la orquestación.

Naturalmente, todo esto sólo puede aplicarse si no cuentas con una preparación musical. Si tienes experiencia musical, una puntuación elevada en la prueba sería más una confirmación de tus conocimientos que un indicativo de aptitud.

**INSTRUCCIONES:** *Para esta prueba se necesita un piano y alguien que lo toque, ya seas tú o un amigo. La prueba no tiene límite de tiempo; tómate todo el que consideres necesario. Sin embargo, trabaja más bien rápida que lentamente, ya que lo que se requiere es la reacción de tu oído y no la de tu intelecto.*

1. Subraya el título de la melodía que consideres musicalmente superior
   (a) *Cuando llegues a Madrid.*
   (b) *Guantanamera.*

2. Toca las siguientes frases en el piano o escúchalas mientras alguien las toca. Señala la que prefieras.

3. Toca las siguientes frases en el piano o escúchalas mientras alguien las toca. Marca la que menos te guste.

4.  Toca el siguiente acorde en el piano o escúchalo mientras alguien lo toca. Señala si lo consideras agradable o desagradable.

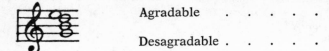

Agradable . . . . .

Desagradable . . . . .

5.  Toca el siguiente acorde en el piano o escúcharlo mientras alguien lo toca. Señala si lo consideras agradable o desagradable.

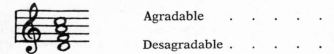

Agradable . . . . .

Desagradable . . . . .

6.  Señala cuál de estos acordes te resulta más agradable.

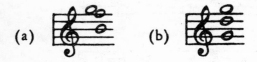

(a)          (b)

7.  Señala cuál de estos pasajes te resulta más agradable.

(a)

(b)

8.  Toca el siguiente pasaje en el piano o escúchalo mientras alguien lo toca.

Repitiendo el pasaje tantas veces como desees, encuentra experimentalmente cualquier acorde de tres notas que consideres que armoniza con el mismo, y escríbelas . . .

9. Pide a un amigo que toque dos veces las ocho notas de la escala de Do en orden ascendente, mientras tú permaneces de espaldas. Si la primera nota es 1, canta o silba lo siguiente:
   (a) 2   (b) 3   (c) 7   (d) 5
   Si tu amigo considera, verificándolo inmediatamente después de cada nota que emites, que cantas o silbas los tonos RE-MI-SI-SOL, haz una marca a la derecha . . . . .

10. Presta mucha atención mientras tu amigo vuelve a tocar la escala en orden ascendente. Luego pídele que toque cuatro notas cualesquiera de la escala, en sucesión, mientras tú permaneces de espaldas. Di los nombres de esas notas, ya sea mediante números, letras o sílabas (do, re, mi, etcétera).
    Si tu amigo afirma que has nombrado correctamente las cuatro notas, haz una marca a la derecha . . . . .

---

TU PUNTUACIÓN ......
PUNTUACIÓN PROMEDIO: 4

| | | |
|---|---|---|
| SUPERIOR | (DIEZ POR CIENTO MÁS ELEVADO) | 8-10 |
| BUENO | (VEINTE POR CIENTO SIGUIENTE) | 6-7 |
| REGULAR | (TREINTA POR CIENTO SIGUIENTE) | 4-5 |
| MALO | (CUARENTA POR CIENTO MÁS BAJO) | 0-3 |

# 9

# ¿Eres apto para los números?

Esta prueba, aunque da por sentados ciertos conocimientos elementales de aritmética, no es una prueba de conocimientos. Está destinada a probar tu aptitud o inclinación por el razonamiento matemático, por el razonamiento con símbolos matemáticos tales como los números, más que tu conocimiento de temas matemáticos.

Con tal propósito, no contiene preguntas basadas en cálculos memorísticos ni en reglas. Por ejemplo, no hay una sola pregunta del tipo de «¿cuánto es $13 \times 4 - 6 + 0,5$?». La prueba tampoco presenta ejemplos de largas divisiones, ni te plantea que encuentres un mínimo común denominador. Las preguntas de este tipo —que con demasiada frecuencia se encuentran en pruebas de «aptitud en matemáticas»— son en realidad pruebas de memoria o de preparación; no miden tu aptitud para razonar con cifras, sino que indican, meramente, si recuerdas las tablas de multiplicar o las reglas que se aplican a la sustracción de fracciones, o si has tenido suficiente práctica para poder contestarlas rápidamente.

Por el mismo motivo no encontrarás aquí preguntas de naturaleza geométrica, aunque también aparecen habitualmente en las llamadas pruebas «matemáticas». Dichas preguntas evalúan el razonamiento con formas y espacios más que el razonamiento con números, y la investigación psicométrica no ha demostrado ninguna correlación entre una aptitud y la otra. Por el contrario, parece indicar que suelen ser independientes y que probablemente requieren habilidades muy distintas.

## Bajo nivel aritmético

Aquí se te aplica el beneficio de la duda. Se supone que sabes menos aritmética que un alumno de bachillerato.

La prueba se limita a razonar en, por y con un alfabeto matemático elemental.

Si tu puntuación es elevada, podrías adquirir una educación matemática aunque actualmente carezcas de grandes conocimientos de la materia. Quizá también tendrías una decidida ventaja en aquellos trabajos en los que las matemáticas son un factor importante. Si tu puntuación es intermedia indicará que necesitas mayores esfuerzos y un estudio más intensivo para tener éxito en el campo de las matemáticas. Una puntuación baja indicaría, en un sentido general, que te resulta difícil progresar en actividades que exigen un amplio razonamiento matemático.

INSTRUCCIONES: *Escribe la respuesta a cada pregunta en el espacio indicado. La exactitud es más importante que la rapidez, pero no te detengas demasiado en una pregunta. Puedes hacer cuentas en borrador, en los márgenes o en un papel aparte.*

### LÍMITE DE TIEMPO: 50 MINUTOS

1. Si 4 manzanas de una docena están podridas, ¿cuántas están buenas?
   *Respuesta* (    )

2. En una caja de 48 manzanas, 8 de cada docena están buenas. ¿Cuántas están podridas?
   *Respuesta* (    )

3. ¿Qué número es tanto menos de 60 como más de 50?
   *Respuesta* (    )

4. Una chica gastó la mitad de su dinero en almorzar y la mitad de esa cantidad en el cine. Le quedaron 200 pesetas. ¿Cuánto gastó en almorzar?
Respuesta (    )

5. ¿Cuántas horas tardará un coche en recorrer 400 kilómetros a una velocidad de 50 kilómetros por hora?
Respuesta (    )

6. ¿36 es tanto más que 29 como menos que qué número?
Respuesta (    )

7. Tu reloj adelanta 4 minutos en 24 horas. Si a las 7.30 marca las 7.30 ½, ¿cuánto habrá adelantado cuando sea realmente mediodía?
Respuesta (    )

8. La suma de A más B es 116. A es 3 menos que C, pero 4 más que B. ¿Qué número es C?
Respuesta (    )

9. Si 7 hombres de cada 100 son delincuentes, ¿cuántos hombres de cada 500 no son delincuentes?
Respuesta (    )

10. Alonso, un corredor de bolsa, compró 3 acciones a 10 cada una que vendió a 6 cada una, y vendió a 6 cada una las que compró a 5 cada una. Si su ganancia total fue 8, ¿cuántas acciones compró a 5?
Respuesta (    )

11. ¿Cuántas horas le llevará a un avión de reacción recorrer 400 kilómetros a una velocidad de 600 kilómetros por hora?
Respuesta (    )

12. Si 6 ½ metros de tela de tapicería cuestan 26 dólares, ¿cuánto costarán 3 ½ metros?
Respuesta (    )

13. Si un tendero tiene suficientes manzanas para proveer a 300 clientes durante 2 semanas, ¿cuánto tiempo le durarán las manzanas para proveer a 400 clientes?
Respuesta (    )

14. Supón que A, B y C son números. Supón que D es la suma de A, B y C. En ese caso, ¿sería D menos A igual a B más C? *Señala una respuesta*: SÍ... NO... QUIZÁ...

15. Supón que A y B son números. Supón que D es la diferencia entre A y B. En ese caso, ¿sería D más A igual a B, si B es mayor que A? *Señala una respuesta*: SÍ... NO... QUIZÁ...

16. Si 10 barcos tardan 10 días en usar 10 tanques de petróleo, ¿cuántos días tardará 1 barco en usar 1 tanque de petróleo?
   *Respuesta* (     )

17. El caballo ganador de una carrera llegó a la meta a las 15.01, 4 cuerpos delante del tercer caballo, que terminó 2 cuerpos detrás del segundo caballo. El segundo caballo llegó 4 ½ cuerpos delante del cuarto caballo, que hizo la carrera en 61-3/10 segundos. En la última cuarta parte de la carrera, cada caballo hizo un cuerpo en 1/5 de segundo. ¿A qué hora empezó la carrera?
   *Respuesta* (     )

18. En esta serie, ¿cuál es el número siguiente?
   1, 1, 2, 6,
   *Respuesta* (     )

19. Escribe los números que faltan en este problema de multiplicación.

$$
\begin{array}{r}
- - - - \\
\times\, 6 - \\
\hline
7 - 5\ 8 - \\
- - - - \\
\hline
- - - -\ 2\ 6
\end{array}
$$

20. Supón que las letras de este problema de multiplicación son números. ¿A qué número equivale cada letra?

$$\begin{array}{r} \text{F 1 F} \\ \times\ \text{2 E} \\ \hline \text{6 3 C} \\ \text{D 2 D} \\ \hline \text{D 8 B C} \end{array}$$

*Respuesta*: B=   , C=   , D=   , E=   , F=

21. Supón que las letras de este problema de multiplicación son números y cada espacio en blanco representa una letra que falta. Escribe las letras que faltan.

$$\begin{array}{r} 5 - 4 \\ \times\ \text{C 5} \\ \hline 2 - \text{A Y} \\ -\ 1\ \text{F 6} \\ \hline -\ -\ 4\ 8\ - \end{array}$$

22. En una partida de 154 abrigos hay 3 abrigos menos de color blanco que de color rojo, pero 5 blancos más que verdes. Si todos los abrigos son rojos, blancos o verdes, ¿cuántos abrigos rojos hay?
*Respuesta* (     )

---

### TU PUNTUACIÓN ......
### PUNTUACIÓN PROMEDIO: 12

| | | |
|---|---|---|
| SUPERIOR | (DIEZ POR CIENTO MÁS ELEVADO) | 17-22 |
| BUENO | (VEINTE POR CIENTO SIGUIENTE) | 14-16 |
| REGULAR | (TREINTA POR CIENTO SIGUIENTE) | 11-13 |
| DEFICIENTE | (CUARENTA POR CIENTO MÁS BAJO) | 0-10 |

# 10

## ¿Sabes obrar reflexivamente?

El laberinto, uno de los enigmas más antiguos creados por la humanidad, es también uno de los más útiles como instrumento de prueba. Está especialmente difundido en el laboratorio psicológico, donde se adapta tanto al análisis del comportamiento de animales pequeños —tales como los conejillos de Indias— como al de los seres humanos.

El laberinto parece medir la capacidad de anticipación y previsión, junto con la rapidez de aprendizaje. Si una rata hace quince pruebas para encontrar su camino en un laberinto, «aprende» cuáles son los giros falsos antes que otra que hace, digamos, treinta pruebas. No obstante, a juicio de los autores, tal aprendizaje no es tanto una cuestión de razonamiento como de reflejos motores condicionados. Cada vez que la rata hace un giro equivocado choca contra una pared... o como mínimo frena y experimenta un conjunto de sensaciones. Así, a medida que prosigue la prueba, llega a evitar automáticamente los giros erróneos, pero no elige, como lo hace el ser humano que razona.

Por tal razón no confiamos —a diferencia de muchos psicólogos— en el laberinto para evaluar la capacidad de aprendizaje o razonamiento. Pero si la rata —o el ser humano— evita chocar con las paredes, queda demostrada cierta precaución. Y si todas las paredes u obstrucciones son visibles al mismo tiempo, como ocurre en el laberinto trazado con lápiz, seleccionando un camino una persona demuestra una cierta habilidad para hacer elecciones según lo que ve en perspectiva. En otras palabras: demuestra previsión.

La rata confía en el sistema de tanteo para atravesar el laberinto. Pero en tu caso, ni el método de tanteo ni el puro azar te permitirán abrirte paso a través de estos laberintos, porque son demasiadas las alternativas. Tendrás que avanzar antes que el lápiz, y eliminar mentalmente los caminos indeseables.

INSTRUCCIONES: *A partir del ángulo superior izquierdo, traza con lápiz una línea a través de cada laberinto, hasta la salida. Tu línea no puede cruzarse a sí misma ni a ninguna otra. Si cruzas una línea o entras en un callejón sin salida, puedes retornar a la entrada y empezar de nuevo... o retomar en el punto donde tu línea entró en un callejón sin salida.*

*Debes abordar los laberintos en el orden en que aparecen: concluye el A antes de empezar el B; termina el B antes de empezar el C, y así sucesivamente.*

LÍMITE DE TIEMPO: 5 MINUTOS

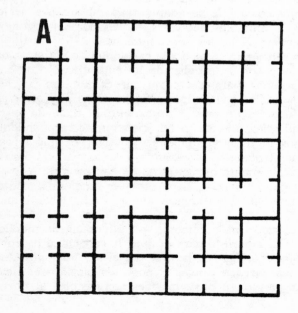

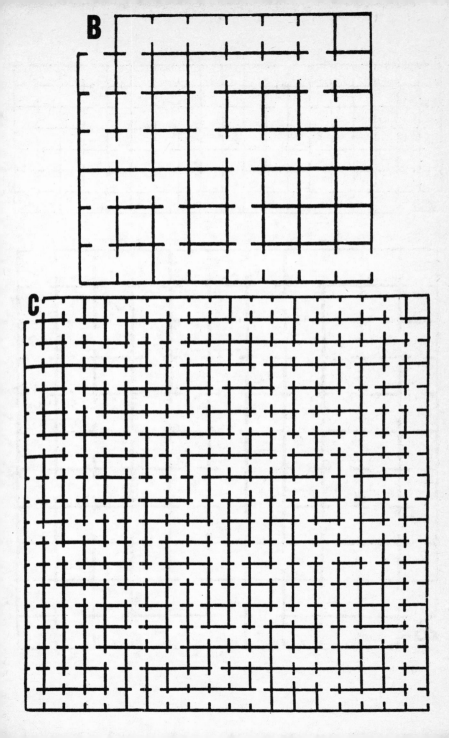

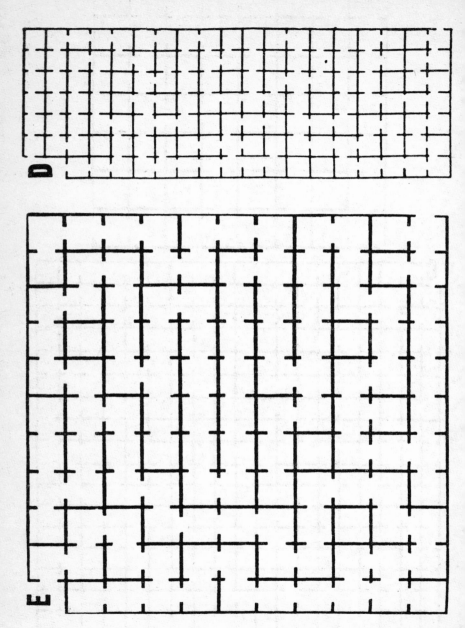

## TU PUNTUACIÓN ......
## PUNTUACIÓN PROMEDIO: 3

| | | |
|---|---|---|
| SUPERIOR | (DIEZ POR CIENTO MÁS ELEVADO) | 5 |
| BUENO | (VEINTE POR CIENTO SIGUIENTE) | 4 |
| REGULAR | (CUARENTA POR CIENTO SIGUIENTE) | 3 |
| DEFICIENTE | (TREINTA POR CIENTO MÁS BAJO) | 0-2 |

# 11

## ¿Sabes visualizar?

Los psicólogos aceptan, universalmente, que la discriminación espacial de cualquier tipo es un elemento vital en las diversas aptitudes mecánicas y científicas, en la inclinación a las artes gráficas, en la inteligencia misma.

Lamentablemente, algunas de las pruebas «espaciales» más conocidas y más ampliamente utilizadas no salvan la brecha existente entre la simple percepción y la verdadera imaginación o razonamiento.

Estas pruebas exigen que se detecten diferencias, similitudes, paralelos de forma y de tamaño. Son bastante valiosas para juzgar la percepción, pero con demasiada frecuencia son presentadas como guía de la inteligencia o como medida de las aptitudes artísticas y mecánicas. En estos últimos casos no son ni siquiera correctas, sino extremadamente peligrosas.

Suele ocurrir que cuando se trata de tales aptitudes, la mera percepción de características espaciales —el hecho de «verlas»— no es un factor determinante. No se trata de saber ver espacios y formas, sino de que puedan utilizarse como materia prima del razonamiento. Aunque un ciego no puede «ver» su casa concluida puede oír hablar de ella y formarse una imagen mental. Cuando lo logre, tal vez esté en condiciones de imaginar la mejor forma y el mejor ángulo para el tejado. He aquí un ejemplo que se aplica ʼtanto a la *imaginación espacial* como al *razonamiento espacial*.

Estas dos características son los factores espaciales más importantes en los diversos conjuntos de aptitudes, y no la simple percepción sensorial. De hecho, puede afirmarse que en sí mismas son suficientes para demostrar tal percepción.

En realidad, no pueden separarse totalmente, pero la prueba del capítulo siguiente acentúa el factor racional, mientras la que presentamos a continuación enfatiza principalmente la imaginación.

*Primer apartado*

INSTRUCCIONES: *En la línea en blanco escribe el número de superficies que tiene cada objeto. Por ejemplo:*

El objeto de la derecha tiene 4 caras laterales, 1 superior y 1 inferior... o sea 6 superficies en total. En consecuencia, escribe el número 6.

A. ....6....

El objeto de la derecha tiene 1 superficie superior, 3 superficies inferiores, 4 caras exteriores y 2 interiores... o sea 10 superficies en total. En consecuencia, escribe el número 10.

B. ....10....

*Estudia las muestras hasta estar seguro de comprender las respuestas que has de dar. Entonces empieza la prueba.*

LÍMITE DE TIEMPO: 1 MINUTO

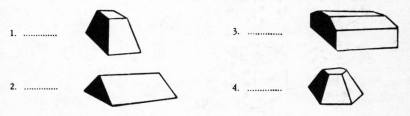

1. ..............

2. ..............

3. ..............

4. ..............

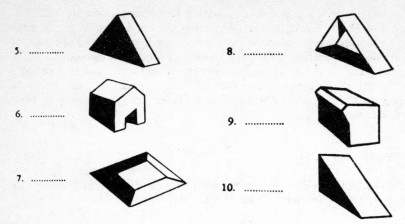

5. ..............

6. ..............

7. ..............

8. ..............

9. ..............

10. ..............

## Segundo apartado

**INSTRUCCIONES:** *Examina cada par de dados. Si, de acuerdo con lo que indican los puntos, el primero del par puede volverse a la posición del segundo, rodea con un círculo la palabra SÍ. De lo contrario, rodea con un círculo la palabra NO.*

*No trates de resolverlo adivinando. En esta prueba es mejor dejar la respuesta en blanco que responder erróneamente.*

**LÍMITE DE TIEMPO: 2 MINUTOS**

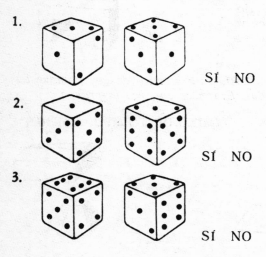

1.

SÍ   NO

2.

SÍ   NO

3.

SÍ   NO

**4.**

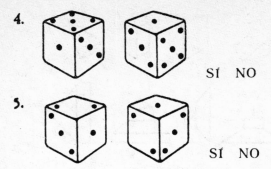

SÍ  NO

**5.**

SÍ  NO

*Tercer apartado*

**INSTRUCCIONES:** *En cada fila, el primer dibujo representa un objeto sólido. Si otro dibujo de esa fila muestra el mismo objeto en posición diferente, rodea con un círculo el número de ese dibujo. Si ningún dibujo de la fila muestra el primer objeto, rodea con un círculo la palabra NO.*

**LÍMITE DE TIEMPO: 1 MINUTO**

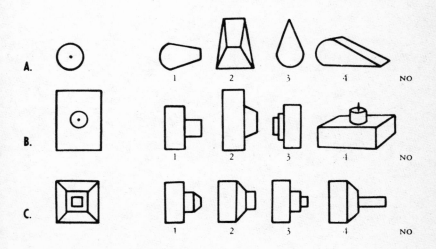

A.      1     2     3     4     NO

B.      1     2     3     4     NO

C.      1     2     3     4     NO

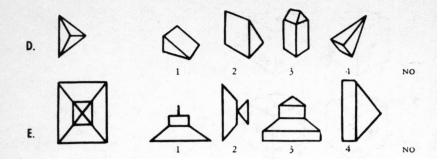

D.
1  2  3  4  NO

E.
1  2  3  4  NO

## TU PUNTUACIÓN ......
## PUNTUACIÓN PROMEDIO: 37

| | | |
|---|---|---|
| SUPERIOR | (DIEZ POR CIENTO MÁS ELEVADO) | **48-60** |
| BUENO | (VEINTE POR CIENTO SIGUIENTE) | **41-47** |
| REGULAR | (TREINTA POR CIENTO SIGUIENTE) | **34-40** |
| DEFICIENTE | (CUARENTA POR CIENTO MÁS BAJO) | 0-33 |

# 12

## ¿Tienes inventiva?

Has llegado a la prueba del *razonamiento espacial*, una de las herramientas de adaptación más valiosas del hombre. No sólo es un componente de la inteligencia general, sino que aflora en numerosas aptitudes específicas.

Desde hace mucho tiempo, conscientes de su importancia, los psicólogos han desarrollado una serie de excelentes instrumentos para medirlo. Dichos instrumentos van desde las subpruebas Army Beta hasta los famosos exámenes del California Test Bureau y la clásica Minnesota Form Board. Los autores consideran que en la prueba creada para este libro se encuentran combinados los valores de las mejores pruebas conocidas.

### Un factor adicional

Es difícil —tal vez imposible— separar los factores de *visualización* y *razonamiento*. El instrumento típico —un recuento de cubos, por ejemplo— mide ambas cosas. Pero hay que advertir que, al juzgar objetos cuyas superficies se encuentran parcialmente ocultas (pruebas con cubos Beta, MacQuarrie, Thurstone), no se pide la combinación de espacios visualizados en nuevas formas.

En cambio, los autores consideran que en las pruebas de

tipo Beta geométrica y de Minnesota aparece un factor adicional en que ciertas formas deben sintetizarse mentalmente en otras formas. Dado que ello implica ingeniosidad para combinar espacios, al factor se le denomina *inventiva*.

## Creación e inventiva

La capacidad creativa —que durante mucho tiempo ha preocupado a los psicólogos— implica impulsos, motivaciones y pautas de reacción de un tipo que no se pretende reflejar en la puntuación de esta prueba. Sin embargo, la inventiva juega un papel en la capacidad creativa, y se refiere a la combinación de formas existentes para crear otras nuevas, a la toma de elementos de viejos modelos para sintetizarlos en nuevos modelos.

Puesto que esta prueba de razonamiento espacial conserva el factor de *inventiva*, está separada de las pruebas espaciales del capítulo anterior. Creemos que la puntuación puede ser demostrativa, en sentido limitado, de tu propio potencial creativo, y que demostrará más categóricamente —pues lo confirma el análisis de los factores— tu inventiva con los espacios, las figuras y las fórmulas.

INSTRUCCIONES: *Cada una de las figuras de la zona blanca del grabado está compuesta por una o varias de las formas numeradas de la zona oscura. Escribe debajo de las figuras blancas el número de las formas correspondientes.*

*Las formas pueden colocarse de cualquier manera con el propósito de que encajen, pero no puedes utilizar ninguna forma más de una vez en la misma figura.*

### LÍMITE DE TIEMPO: 4 MINUTOS

TU PUNTUACIÓN ......
PUNTUACIÓN PROMEDIO: 54

| | | |
|---|---|---|
| SUPERIOR | (DIEZ POR CIENTO MÁS ELEVADO) | 67-93 |
| BUENO | (VEINTE POR CIENTO SIGUIENTE) | 60-66 |
| REGULAR | (TREINTA POR CIENTO SIGUIENTE) | 52-59 |
| DEFICIENTE | (CUARENTA POR CIENTO MÁS BAJO) | 0-51 |

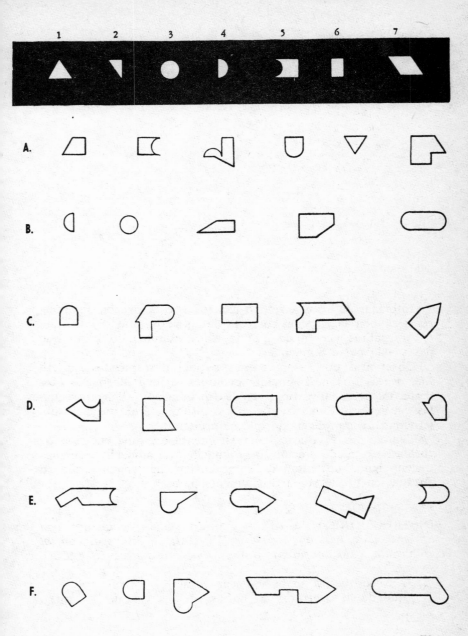

# 13

## ¿Puedes responder?

Informar sobre el objetivo exacto de esta prueba significaría descubrir la elección correcta de las respuestas. Por lo tanto, no sabrás acerca de qué te estás examinando hasta que pases a la parte Soluciones.

Observarás que las preguntas requieren respuestas subjetivas, de las que normalmente evitamos en este libro. No obstante, tal como advertimos en la Introducción, dichas preguntas contienen un «matiz»; en este capítulo está en juego la subjetividad misma, de modo que sé prudente.

También es necesario tener en cuenta que una cuestión de vocabulario puede afectar tu puntuación. Se advierte a quienes tienen alguna dificultad de comprensión del lenguaje que su puntuación puede ser artificialmente baja.

INSTRUCCIONES: *Si en un sentido general coincides con un enunciado, haz una marca en VERDAD. Si discrepas con un enunciado, o lo consideras dudoso, haz una marca en FALSO.*

1.  A veces la ira te hace hacer cosas
    que de lo contrario no harías . . VERDAD    FALSO

2. Si alguien te engaña, no permites que quede sin castigo . . . . . . VERDAD     FALSO

3. Si alguien fuma en un cine o tren donde está prohibido hacerlo, tratas de que apague el cigarrillo . . . VERDAD     FALSO

4. Nunca has violado ninguna de las leyes de tu comunidad . . . . . VERDAD     FALSO

5. Habitualmente tiendes a evitar a la gente que no simpatiza contigo . . VERDAD     FALSO

6. A veces lees con placer tebeos, novelas policíacas u otro tipo de literatura «de bajo nivel» . . . . . . VERDAD     FALSO

7. Crees plenamente en el principio de la libertad de expresión . . . . VERDAD     FALSO

8. No suele gustarte la gente sencillamente porque simpatice contigo . . VERDAD     FALSO

9. Cuando la gente es menos afortunada que tú, acostumbras hacer algo para ayudarla . . . . . . . . VERDAD     FALSO

10. Dado que te interesa la literatura, procuras leer la mayoría de los libros buenos que se publican cada año . . . . . . . . . VERDAD     FALSO

11. Tendría que prohibirse el envío de periódicos comunistas por correo . VERDAD     FALSO

12. Habría que permitir que las personas negras se casaran con blancas si así lo desean . . . . . . . VERDAD     FALSO

13. Suele resultarte antipática la persona a la que no le gustas . . . .    VERDAD    FALSO

14. Debería prohibirse todo tipo de propaganda en televisión . . . . .    VERDAD    FALSO

15. Todos los pueblos tendrían que tener derecho a la vida, la libertad y la búsqueda de la felicidad . . . .    VERDAD    FALSO

16. En ocasiones te sientes un poco melancólico o deprimido . . . . .    VERDAD    FALSO

17. Si alguien te engaña, no permites que quede sin castigo . . . . . .    VERDAD    FALSO

18. Tienes como mínimo una leve idea del significado de la palabra PRETORATORIO . . . . . . . .    VERDAD    FALSO

19. No debería permitirse a los países sudamericanos practicar políticas peligrosas para ellos mismos . . .    VERDAD    FALSO

20. Habría que prohibir toda propaganda socialista por radio . . . .    VERDAD    FALSO

21. Los negros tienen derecho a la igualdad con los blancos . . . . .    VERDAD    FALSO

22. En ocasiones has escogido el último manjar selecto de una comida, aunque sabías que otro también podía desearlo . . . . . . . .    VERDAD    FALSO

23. A veces finges saber más de lo que sabes . . . . . . . .    VERDAD    FALSO

24. Al margen de sus antecedentes, la nación alemana tiene derecho a la libertad . . . . . . . . .    VERDAD    FALSO

25. Cuando vas al cine con algunos amigos, a veces quieres que vayan a ver
la película que tú prefieres, y no la
que prefieren ellos . . . . . VERDAD FALSO

TU PUNTUACIÓN ......
PUNTUACIÓN PROMEDIO: 16

| | | |
|---|---|---|
| SUPERIOR | (DIEZ POR CIENTO MÁS ELEVADO) | 16-25 |
| BUENO | (VEINTE POR CIENTO SIGUIENTE) | 14-15 |
| REGULAR | (TREINTA POR CIENTO SIGUIENTE) | 10-13 |
| DEFICIENTE | (CUARENTA POR CIENTO MÁS BAJO) | 0-9 |

# 14

## ¿Tienes sentido estético?

Los psicómetras han creado muchas pruebas ingeniosas con el propósito de rastrear algún aspecto del talento artístico, por ejemplo las escalas de McAdory y los estudios sobre juicio artístico de Meier-Seashore. Tanto estos ejemplos clásicos como otros más recientes siguen la misma línea. Te piden que examines un grupo de imágenes cuidadosamente graduadas y que selecciones las que consideras superiores.

Lo que dichas pruebas intentan evaluar es la capacidad de criterio artístico; en otras palabras, de gusto estético. Indudablemente, el gusto estético es una de las características más habituales en los artistas.

*Para evitar el prejuicio*

La prueba que vas a hacer utiliza el enfoque clásico. Te permite demostrar tu propio criterio estético dentro de un alcance rudimentariamente artístico. Pero en lugar de comparar cuadros, te ofrecemos dibujos esquemáticos. Se ha hecho de este modo con el propósito de eliminar consideraciones de línea, tono y color, que implican cuestiones de técnica, que están burdamente sujetas al condicionamiento individual y que, en un sentido general, carecen de universalidad. También se ha evitado el efecto de halo del prejuicio a favor o en contra del tema de los cuadros reales.

Este método acentúa en cambio la unidad de forma, el equilibrio, el ritmo y otros elementos de composición, dado que después de miles de años la humanidad suele coincidir en lo que constituye una buena —o al menos aceptable— composición. Y aunque la composición sola no puede elevar la creación a nivel del arte —como en gran parte del llamado «arte primitivo»—, donde la composición está ausente no existe el arte.

*Talento y sentido*

Esta prueba no puede, por sí misma, indicarte si posees o no talento artístico. Sin embargo, puede decirte si compartes hasta cierto punto una característica vital para el artista..., y esencial para su público. Para apreciar el arte en cualquiera de sus formas, para criticarlo, para comprenderlo o disfrutarlo profundamente, tienes que poseer sentido artístico, gusto por lo hermoso y armónico.

No parece que dicho sentido o gusto sea innato. La investigación psicológica tiende a considerar que un criterio estético sólido es, fundamentalmente, una cuestión de educación y experiencia.

*Primer apartado*

INSTRUCCIONES: *Haz una marca en el dibujo de cada fila que ilustre mejor la palabra que se encuentra a la izquierda de esa fila.*

SIN LÍMITE DE TIEMPO

1. UNIDAD

2. BELLEZA

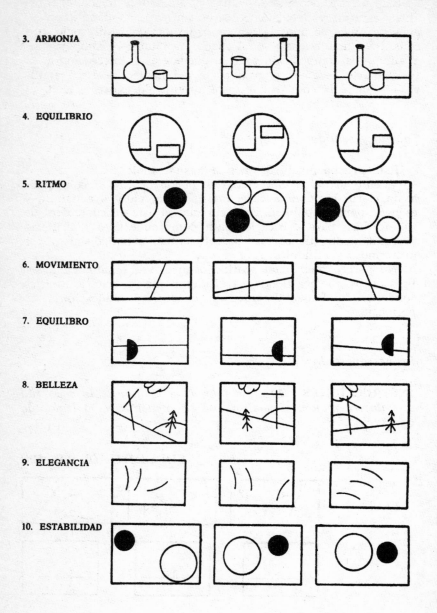

3. ARMONIA

4. EQUILIBRIO

5. RITMO

6. MOVIMIENTO

7. EQUILIBRO

8. BELLEZA

9. ELEGANCIA

10. ESTABILIDAD

INSTRUCCIONES: *Marca la frase que sea la mejor respuesta a la pregunta, o que mejor complete el enunciado.*

## SIN LÍMITE DE TIEMPO

1.  Esteban mide 1,63 y pesa 100 kilos, lo que hace de él una persona bastante gorda. ¿Qué diseño recomiendas para su traje?
    a)  Cuadros grandes
    b)  Rayas apenas perceptibles
    c)  Rayas verticales destacadas y espaciadas

2.  ¿Qué tipo de trajes sientan mejor a Esteban?
    a)  Cortes holgados
    b)  Ni holgados ni ceñidos
    c)  Ceñidos

3.  ¿Puede ser de buen gusto incluir una silla y un sofá «modernos» en una habitación que contiene muebles «de época»?
    a)  Sí
    b)  No

4.  Supongamos que tienes una habitación alargada, llena de colores y con cortinas estampadas con flores grandes. ¿Intentarías combinarla con una alfombra llena de colorido, también de diseño floral, o elegirías una alfombra de color neutro y diseño poco llamativo?
    a)  Colorido
    b)  Neutro

5.  La verdadera función de un pintor no consiste tanto en pintar como en «acercar un espejo a la naturaleza», o sea, reproducir un objeto dado con la mayor fidelidad posible.
    a)  Sí
    b)  No

6. La gente tendría que ser rápida en adoptar la última moda en vestir... si tiene dinero para pagarla.
   a) Sí
   b) No

7. Una estructura siempre será de buen gusto si sigue el diseño de un ejemplo clásico de excelencia arquitectónica, por ejemplo un templo griego o una iglesia gótica.
   a) Sí
   b) No

8. Muebles grandes en una habitación pequeña harán que la habitación parezca más grande.
   a) Sí
   b) No
   c) A veces

9. Las mujeres menudas están mejor que las altas con chaquetas hasta la cintura.
   a) Sí
   b) No
   c) Sí, si la chaqueta es de chinchilla

10. Los cuadros de diferentes formas y tamaños por lo general quedan mejor si se cuelgan.
    a) Con la *parte superior* de los marcos al mismo nivel
    b) Con la *parte inferior* de los marcos al mismo nivel

---

TU PUNTUACIÓN ......
PUNTUACIÓN PROMEDIO: 28

| | | |
|---|---|---|
| EXCELENTE | (DIEZ POR CIENTO MÁS ELEVADO) | 39-50 |
| BUENO | (VEINTICINCO POR CIENTO SIGUIENTE) | 33-38 |
| REGULAR | (TREINTA Y CINCO POR CIENTO SIGUIENTE) | 26-32 |
| INFERIOR | (TREINTA POR CIENTO MÁS BAJO) | 0-25 |

# 15

## ¿Tienes sentido artístico?

Las pruebas de preferencias como la anterior se presentan a menudo como evaluaciones del talento artístico. Ya hemos visto que no es así. La apreciación estética —aunque requisito indispensable para el artista— sólo es una parte, una parte no creativa, de esa aptitud específica.

Más aún, muchos psicólogos sutiles sospechan del método de preferencias incluso como vara para medir el gusto. En verdad, los puntos de la escala de preferencias se etiquetan como «buenos» o «malos» según el criterio de autoridades artísticas supuestamente competentes, criterio que se basa en siglos de experiencia humana. Del mismo modo, puede afirmarse que el método de preferencias no muestra un sentido artístico independiente, sino en qué medida una persona se adapta a las pautas artísticas aceptadas.

¿Existe, pues, alguna aptitud mensurable que sea indicativa del talento artístico?

Obviamente, el artista sólo puede expresarse si cuenta con cierta dosis de técnica. Quizá sea posible predecir si una persona puede adquirir suficiente técnica para dibujar, pintar o desenvolverse en los medios pictóricos. Dichas técnicas pueden aprenderse, pero quien tiene talento artístico las aprende más rápidamente, con más facilidad y a menudo con menos adiestramiento. Esta facilidad técnica es, precisamente, lo que le diferencia del resto de la gente.

*Tendencias en la evaluación*

En consecuencia, en las pruebas modernas de aptitud artística se tiende a confiar menos en las escalas de preferencias y más en la evaluación de la capacidad técnica. La prueba que sigue es típica de lo antedicho.

Su objetivo consiste en establecer si puedes desarrollar la maestría técnica esencial para el arte pictórico. Esto no significa habilidad motora o manual, ya que la investigación ha demostrado que éstas tienen muy poco que ver con el talento artístico. Se refiere más bien a tu capacidad de retener, analizar y reproducir imágenes; una forma específica de adaptación espacial que parece residir en el fondo de la técnica pictórica.

INSTRUCCIONES: *Examina por separado cada dibujo y pon una señal de acuerdo con lo indicado por la pregunta o enunciado.*

*Trabaja lenta y cuidadosamente. Recuerda que el dibujo que aparece en cada pregunta es distinto a todos los demás y tiene su propio conjunto específico de características.*

SIN LÍMITE DE TIEMPO

1. Éste es un grupo de edificios vistos desde un avión. ¿Pueden ser paralelos los edificios? . . . . . . SÍ    NO

2. La elipse de este objeto es una ejecución en perspectiva de un círculo de tamaño aproximadamente equivalente al del círculo de la cara del objeto . . . . Sí   NO

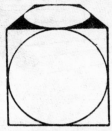

3. El vaso más alto está en correcta perspectiva. ¿Se encuentran los otros dos en perspectiva aproximadamente correcta? . . . . . . . . . . . Sí   NO

4. (a) Esta figura, ¿está dibujada en perspectiva aproximadamente correcta? . . . . . . . Sí   NO
   (b) Las superficies visibles pueden ser superficies exteriores . . . . . . . . . Sí   NO
   (c) Las superficies visibles pueden ser superficies interiores . . . . . . . . . Sí   NO

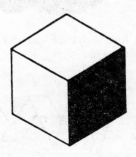

5. Marca el menor número posible de bordes que, si se alteraran, dejarían este dibujo en perspectiva correcta.

6. ¿Qué borde, si se alterara, dejaría este dibujo en perspectiva?

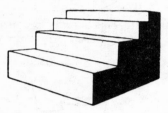

7. La sombra de la superficie de la bola indica que otras superficies deben estar también sombreadas. Marca dichas superficies.

8. Imagina que la luz proviene directamente de encima de esta cinta plegada. ¿Qué superficies deben estar sombreadas?

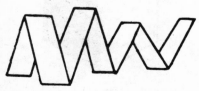

9. A juzgar por las superficies ya sombreadas, ¿cuáles otras de esta cinta plegada deberían estar sombreadas?

10. ¿Qué objetos o superficies se encuentran fuera de perspectiva en este dibujo?
    (a)  PARED ... (b) VENTANA ... (c) TECHO ... (d) SUELO ... (e) MESA ... (f) CAJÓN ...

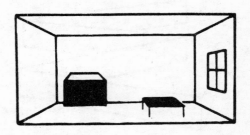

11. ¿Qué objetos o superficies se encuentran fuera de perspectiva en este dibujo?
    (a)  PARED ... (b) VENTANA ... (c) TECHO ... (d) SUELO ... (e) DIVÁN ... (f) CAJÓN ...

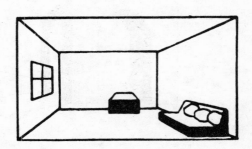

12. A juzgar por las superficies sombreadas, la luz proviene de:

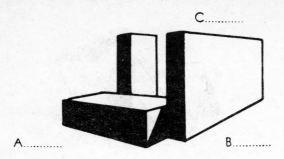

C............

A............    B............

13. Marca las superficies que estarían en la sombra si la fuente de luz fueran tus ojos.

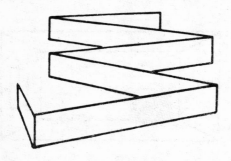

14. (a) ¿Pueden ser estos arcos del mismo tamaño?    Sí    NO
    (b) ¿Hay un sendero paralelo a una pared de la estructura? . . . . . . . . . . . Sí    NO

15. ¿Son estos tres edificios paralelos entre sí? . . SÍ NO

16. ¿Están estos objetos en perspectiva real? . . SÍ NO

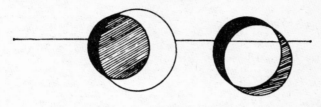

TU PUNTUACIÓN ......
PUNTUACIÓN PROMEDIO: 13

| | | |
|---|---|---|
| SUPERIOR | (DIEZ POR CIENTO MÁS ELEVADO) | 19-25 |
| BUENO | (VEINTE POR CIENTO SIGUIENTE) | 16-18 |
| REGULAR | (TREINTA POR CIENTO SIGUIENTE) | 13-15 |
| DEFICIENTE | (CUARENTA POR CIENTO MÁS BAJO) | 0-12 |

# 16

# ¿Cuál es tu estímulo-respuesta artístico?

Aún queda por probar otro aspecto de la personalidad artística relacionado con la imaginación, la sugestión y la sensibilidad al estímulo, cualidades que se hallan entre las que caracterizan al artista creativo. La persona sugestionable y sensible, aunque no siempre reacciona a los estímulos más intensamente que el flemático, sí lo hace con mayor rapidez... y con menos estímulos. En consecuencia, la persona sensible es a menudo la que se ve estimulada al síndrome de reacción, conocido como expresión.

## La imaginación es esencial

En cuanto a la imaginación, es el arma más importante, más vital, del arsenal creativo. Los cuadros, al igual que las máquinas, empiezan como visiones. Sólo después de su concepción inicial en el cerebro pueden ser transformados en sustancia por las manos y otras partes del cuerpo.

Hemos observado que el sentido estético, una de las características del artista, es esencialmente una cualidad pasiva, una cualidad de apreciación más que de creación. De manera similar, la comprensión analítica del espacio, la línea y la sombra, aunque es importante para la expresión pictórica, no puede conferir, por sí misma, la creatividad. La que parece encontrarse en el fondo del proceso creativo es la imaginación. Y las reacciones más fácilmente evocadas de la persona sensible y sugestionable hacen más probable que un estímulo dado ponga en marcha su imaginación. Asimismo, en los seres humanos la sensibilidad no sólo se relaciona con una imaginación más fácilmente excitada, sino, frecuentemente, con una imaginación más potente y más vívida.

La prueba que sigue ofrece algunos conjuntos de estímulos. Tu reacción ante ellos completa un ciclo estímulo-respuesta (E-R), proporcionando un índice de la medida en que excitan tu imaginación. Por tanto, tu puntuación te dirá lo sensible que eres en comparación con otras personas, sobre la base de tus respuestas imaginativas.

INSTRUCCIONES: *Cada dibujo del grabado sugiere una o varias palabras de la lista que sigue. Tu tarea consiste en descubrir las palabras sugeridas y escribir sus números debajo de cada dibujo. Puedes utilizar cualquier palabra de la lista que, aunque sea remotamente, te sugiera el dibujo.*

*Elige entre 1 y 3 palabras para cada dibujo. Aun cuando una sola palabra te parezca adecuada, usa hasta 3 si de algún modo las consideras apropiadas.*

*Y recuerda que puedes usar cualquier palabra de la lista para más de un dibujo.*

### SIN LÍMITE DE TIEMPO

| | | | | | |
|---|---|---|---|---|---|
| 1. | MALO | 12. | FÍSICA | 23. | DUDA |
| 2. | DANZA | 13. | COMIDA | 24. | RITMO |
| 3. | SAHARA | 14. | VIENTO | 25. | DESCANSO |
| 4. | CALABAZA | 15. | GEOMETRÍA | 26. | SUEÑO |
| 5. | VIAJE | 16. | PREOCUPACIÓN | 27. | DOLOR |
| 6. | JUEGO | 17. | SED | 28. | FURIA |
| 7. | SALADO | 18. | TORMENTA | 29. | PODER |
| 8. | CONFUSIÓN | 19. | ELÉCTRICO | 30. | CUERNO |
| 9. | VUELO | 20. | RADIO | 31. | ATÓMICO |
| 10. | BRILLANTE | 21. | CALIENTE | 32. | BACTERIA |
| 11. | QUÍMICA | 22. | AMARGO | 33. | ROBOT |

| | | |
|---|---|---|
| 34. GRACIOSO | 43. ALEGRÍA | 52. PULCRITUD |
| 35. PAZ | 44. ELÁSTICO | 53. FORMALIDAD |
| 36. RUIDOSO | 45. ADORNO | 54. ADORACIÓN |
| 37. SEXO | 46. ÉXTASIS | 55. DULCE |
| 38. MÁSCARA | 47. PASATIEMPO | 56. AGRIO |
| 39. PECHO | 48. ANIMAL | 57. CRUEL |
| 40. VIDA | 49. ESPACIO | 58. HORROR |
| 41. NERVIOSO | 50. MIEDO | 59. PASTEL |
| 42. CALMA | 51. AGUDO | 60. MAR |

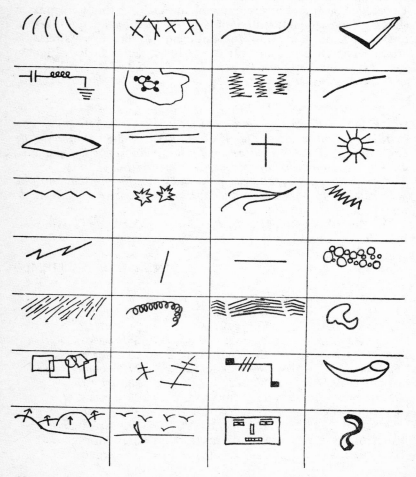

| SUPERIOR | (DIEZ POR CIENTO MÁS ELEVADO) | 68-96 |
| BUENO | (VEINTE POR CIENTO SIGUIENTE) | 56-67 |
| REGULAR | (TREINTA POR CIENTO SIGUIENTE) | 46-55 |
| DEFICIENTE | (CUARENTA POR CIENTO MÁS BAJO) | 0-45 |

# Tercera parte

# Personalidad

# 17

## ¿Sabes tener éxito?

En este punto no es necesaria una larga introducción. Basta decir que existe una cualidad humana más importante que cualquier otra para tener éxito en esta vida. Sin especificar cuál es esa preciosa cualidad —que encontrarás en la parte dedicada a soluciones—, esta delicada prueba te permitirá demostrar si la posees o no. ¡Atención!

INSTRUCCIONES: *Con un lápiz en la mano, estudia el grabado de la página siguiente tanto tiempo como desees. Luego cierra los ojos, levanta el lápiz por encima de la cabeza con el brazo estirado y comprueba cuántos centros haces con la punta del lápiz. Puedes realizar 5 intentos. Recuerda que los únicos aciertos que cuentan son aquellos que den exactamente en el círculo central del blanco.*

SIN LÍMITE DE TIEMPO

| | | |
|---|---|---|
| Primer intento: | ACIERTO ...... | ERROR ...... |
| Segundo intento: | ACIERTO ...... | ERROR ...... |
| Tercer intento: | ACIERTO ...... | ERROR ...... |
| Cuarto intento: | ACIERTO ...... | ERROR ...... |
| Quinto intento: | ACIERTO ...... | ERROR ...... |

# 18

## ¿Eres un buen amante?

La próxima prueba examina tu actitud ante el amor y tu habilidad para mejorar dicha actitud. El buen amante debe encontrar un armonioso equilibrio entre sus emociones e impulsos naturales y los dulces artificios a veces necesarios para transmitir sus sentimientos. Si dicho artificio es generoso y lo emplea para dar más que para recibir, está en su punto justo. Si lo emplea para el engrandecimiento personal, para satisfacer el propio ego, resulta peligroso. En cualquier caso, si uno depende demasiado de él, el artificio conduce a una relación forzada.

Así, a veces da buen resultado enamorar de acuerdo con el suave encanto tradicional de la pantalla. Pero si no eres un muchacho o una chica con ese tipo de encanto, en las relaciones más íntimas el ser amado penetrará la falsa fachada, sentirá decepción y disgusto y tal vez te abandone. La mejor regla a seguir es: sé tú mismo.

Pero también sirve de ayuda mantenerse en la posición de dador, sin ser artificial ni calculador. El cínico puede burlarse de los poetas que cantan al amor como una emoción desinteresada, pero sabio es el amante que se inspira en tales sentimientos. Porque el verdadero amor —y el amor que triunfa— da y recibe, con el énfasis puesto en el dar.

Un buen amante debe tener en cuenta que su amado (o amada) también puede querer dar más que tomar. Aquí la regla consiste en ser lo que haga feliz al otro. Si permites que en tales momentos tus emociones te controlen plenamente, tomarás cálida y profundamente todo lo que el amor ofrece, lo cual puede ser una elevada forma de dar.

INSTRUCCIONES: *Marca Sí cuando coincidas en un sentido general con un enunciado. Marca NO si te sientes inclinado a discrepar. Trata de responder a todas las preguntas. Trabaja tan lentamente como desees.*

SIN LÍMITE DE TIEMPO

1. Uno debe ser más amable con el ser amado que con los extraños.

Sí ...... NO ......

2. En general, entre los enamorados debería mantenerse el rol tradicional probado a través del tiempo, o sea: el hombre dominante y la mujer sumisa.

Sí ...... NO ......

3. Mientras está con su pareja, uno de los dos ve a un miembro especialmente atractivo del sexo opuesto. ¿Debe reprimir cualquier impulso por expresar su admiración por el atractivo del desconocido o desconocida?

Sí ...... NO ......

4. Las costumbres amorosas de una pareja deben ser lo bastante fijas para no cometer desatinos, no avanzar a tientas ni parecer tonta.

Sí ...... NO ......

5. Si uno está realmente enamorado, debería: *(elige una de las respuestas)*
   (a) Tomarse el trabajo de memorizar elocuentes pasajes de amor de la literatura, para poder repetirlos al ser amado . . . . . . . . . . . .

(b) Elegir pasajes de cuentos publicados en revistas de actualidad, ya que están más al día y son menos trillados . . . . . . . . . . . . . .

(c) Buscar frases románticas en las cartas de amor de personas famosas que se encuentran en biografías, bibliotecas, etc. . . . . . . . . . . .

(d) No molestarse en buscar frases amorosas maravillosamente expresadas para que le ayuden . . . . .

6. Uno debe ser más considerado con el ser amado que con los extraños.

   SÍ ...... NO ......

7. El amante debe prestar especial atención a la pulcritud personal, al aliento y detalles similares antes de ir al encuentro del ser amado.

   SÍ ...... NO ......

8. Las formas de expresar el amor deben ser bastante previsibles para no alarmar al ser amado.

   SÍ ...... NO ......

9. En una pareja enamorada cada uno debe hacer sentir al otro que nada es tan importante como el amor entre ellos, limitando la mayoría de sus conversaciones a cuestiones amorosas y personales.

   SÍ ...... NO ......

10. Es perfectamente moral que una chica haga insinuaciones a un hombre que le atrae, o al que cree amar.

    SÍ ...... NO ......

11. Escribe, en no más de 25 palabras, cómo pedirías un beso a alguien a quien amas ...............................................
    ..........................................................................................

12. Si una persona sabe dominarse y tiene un rígido control de su comportamiento en presencia del sexo opuesto, cuenta con ventaja sobre las personas menos cautelosas cuando de amor se trata.

    SÍ ...... NO ......

13. Una chica conoce, en una fiesta, a un hombre que le atrae poderosamente. Una semana más tarde le telefonea y le pide que salgan juntos o le insinúa abiertamente que la invite a salir.

(a) Él podría considerar incorrecta la actitud de ella.

SÍ ...... NO ......

(b) Tú consideras incorrecta la actitud de ella.

SÍ ...... NO ......

(c) La actitud de ella podría no ser táctica, ya que él podría pensar que es una descarada. Será mejor que ella no corra el riesgo de perder la buena opinión que él tiene de ella.

SÍ ...... NO ......

14. A algunas chicas (o chicos) les gusta que les besen el lóbulo de la oreja; otros prefieren que los tomen de la mano. ¿Debe uno tratar de proporcionar el tipo de contacto que el otro prefiere?

SÍ ...... NO ......

15. La técnica amorosa de una persona no debe ser demasiado previsible, aunque en ocasiones esto signifique alarmar al otro.

SÍ ...... NO ......

16. La persona que ama a otra debe decidirse a decirlo francamente en lugar de tratar de hacer conocer su amor por medio de insinuaciones, suspiros, miradas, regalos, etcétera.

SÍ ...... NO ......

17. Cuando una pareja comparte un auténtico amor, éste perdura automáticamente, sin necesidad de estímulos ni atenciones para mantenerlo vivo.

SÍ ...... NO ......

18. Quizá para despertar un verdadero amor es mejor que una persona sea ingenua e incluso inocente. Pero con el propósito de mantener este amor a través de los años, ¿debe dicha persona abandonar la ingenuidad y cultivar deliberadamente el arte de la técnica del amor?

SÍ ...... NO ......

19. Supón que una persona no tiene mucho dinero para gastar en regalos para el ser amado. En ese caso debe: *(elige una respuesta)*

   (a) No comprar ningún regalo . . . . . . . . .

   (b) Comprar únicamente regalos «prácticos», por ejemplo zapatos o ropa . . . . . . . . . .

   (c) Comprar flores o fruslerías de vez en cuando . . .

20. El «amor» romántico, tan ampliamente cantado por los poetas, es un tipo de amor que está bien para los soñadores y la gente poco práctica, pero es inadecuado para los hombres y mujeres normales y corrientes que trabajan con tesón.

Sí ......    NO ......

---

TU PUNTUACIÓN ......

PUNTUACIÓN PROMEDIO: 12

| | | |
|---|---|---|
| SUPERIOR | (DIEZ POR CIENTO MÁS ELEVADO) | **17-22** |
| BUENO | (VEINTE POR CIENTO SIGUIENTE) | **14-16** |
| REGULAR | (TREINTA POR CIENTO SIGUIENTE) | **11-13** |
| DEFICIENTE | (CUARENTA POR CIENTO MÁS BAJO) | **0-10** |

# 19

## ¿Gustas a la gente?

Algunos instrumentos de medición que son ampliamente utilizados en escuelas y empresas, tratan de evaluar la adaptación social mediante preguntas de esta naturaleza:

*¿Algunas personas hacen observaciones tan tontas que deberías contradecirlas?*
*¿Las creencias de ciertas personas son tan estúpidas que deberías condenarlas?*
*¿Te disgusta intensamente cierta gente por ser tan irracional?*

Se estima que la respuesta debe ser *No* en cada caso. Si respondes *Sí*, se supone que careces de capacidad o pautas de sociabilidad, o que demuestras tendencias de «repliegue», lo que a su vez da por sentado que eres impopular o socialmente inadaptado.

Siguiendo esta línea de razonamiento, se adjudica un valor social a la zalamería y a la falta de fibra moral. Todo esto es una tontería desde la perspectiva científica. En lo que se refiere a la popularidad, cualquier muestreo amplio demostrará que el más servil, aunque rara vez es el más antipático, rara vez es el más simpático.

Si alguien te dice en la cara que Hitler era un gran tipo, ¿se supone que debes guardar silencio? Si el capataz de tu fábrica te explota sin razón, ¿se supone que no debes condenarlo, que no debe disgustarte? Aun cuando esta actitud te diera popularidad, ¿con quién sería esa popularidad? ¡Con las personas que menos te interesan, cuyo afecto es menos halagador! Casi todos, abiertamente o en secreto, ansiamos afecto y aprobación. De acuerdo con el punto de vista científico, éste es un fenómeno psicológico apreciable, un recurso mediante el cual se alimenta y renueva el yo. Pero caerle bien a las personas «que no corresponde» no alimenta a un yo saludable. Si bien se conoce a un hombre por las personas con que se rodea, también así se conoce a uno mismo.

*La capacidad de sociabilidad es importante*

La negación de tus principios morales o de tu personalidad no puede hacer que la gente te quiera. En el mejor de los casos puede inducirla a tolerarte... debido a que no penetras demasiado en ella en ningún sentido.

La capacidad sociable puede contribuir a que seas simpático, pero ésta no consiste en la negación, sino más bien en cuestiones de discreción, tacto y acercamiento. ¿Quién tiene mayor capacidad social: el que evita una cuestión impopular o el que puede discutirla sin despertar hostilidad? Sin ser falsos ni deshonestos, podemos actuar de una forma que contenga el reconocimiento de las virtudes de los demás. Si nos privamos del placer de ensalzar nuestra propia vanidad, si logramos que los demás se sientan cómodos y relajados —y apreciados—, en general conseguiremos caerles bien.

Las respuestas a las siguientes preguntas te indicarán si tienes el preciado don de despertar afecto y simpatía.

INSTRUCCIONES: *Marca SI cuando coincidas en un sentido general con un enunciado. Marca NO si te sientes inclinado a discrepar. Trata de responder a todas las preguntas. Trabaja tan lentamente como desees.*

SIN LÍMITE DE TIEMPO

*Con el propósito de ser simpático:*

1. Uno debe tener en cuenta que casi todos los minutos del día se encuentra bajo la mirada escrutadora de aquellos con quienes está en contacto.

Sí ...... NO ......

2. Uno debe ser lo bastante independiente para hablar libremente con los amigos acerca de un interés doméstico o un pasatiempo, compartan o no el mismo entusiasmo.

Sí ...... NO ......

3. Lo más sensato es conservar la dignidad aunque uno se sienta firmemente tentado a hacer lo contrario.

Sí ...... NO ......

4. Cuando uno es lo bastante listo para descubrir errores en la conversación de otros, debe tratar de corregirlos.

Sí ...... NO ......

5. Al conocer a alguien, uno debe tratar de ser encantador e ingenioso para impresionarlo.

Sí ...... NO ......

6. Cuando a uno le presentan a alguien cuyo nombre no entiende, debe pedir que le repitan el nombre.

Sí ...... NO ......

7. Uno debe asegurarse de que es respetado impidiendo siempre ser el blanco de una broma.

Sí ...... NO ......

8. Uno debe ser precavido para que los demás no le gasten bromas y se rían a su costa.

Sí ...... NO ......

9. Cuando uno habla con alguien cuya conversación es ingeniosa y brillante, debe esforzarse por dar réplicas inteligentes y decir agudezas.

Sí ...... NO ......

10. Uno debe ser siempre cuidadoso y tener en cuenta el estado de ánimo del que le acompaña.

Sí ...... NO ......

11. Uno debe ayudar a sus amigos porque puede llegar el momento en que necesite de ellos.

Sí ...... NO ......

12. No es provechoso hacer demasiados favores porque, a fin de cuentas, ¿cuántas personas lo aprecian realmente?

Sí ...... NO ......

13. Es mejor que otros dependan de uno y no depender de otros.

Sí ...... NO ......

14. Un amigo de verdad hace un esfuerzo por ayudar a quienes son objeto de su amistad.

Sí ...... NO ......

15. Uno debe poner siempre los cinco sentidos en asegurarse de que realmente cae bien y es apreciado.

Sí ...... NO ......

16. En una reunión, cuando uno sabe un chiste que empieza a contar otro, debe interrumpirlo.

Sí ...... NO ......

17. En una reunión, cuando uno sabe un chiste que empieza a contar otro, debe tener la amabilidad de reír cordialmente.

Sí ...... NO ......

18. Cuando una persona es invitada a la casa de un amigo pero prefiere ir al cine, debe decir que le duele la cabeza o dar cualquier otra excusa para no correr el riesgo de herir los sentimientos del amigo diciéndole la verdad.

Sí ...... NO ......

19. Un amigo de verdad insiste en que los seres cercanos a él hagan las cosas que son mejores para ellos, aunque no quieran hacerlas.

Sí ...... NO ......

20. Uno no debe defender valiente y enérgicamente sus convicciones siempre que alguien expresa una opinión contraria.

Sí ...... NO ......

## TU PUNTUACIÓN ......
## PUNTUACIÓN PROMEDIO: 70

| | | |
|---|---|---|
| SUPERIOR | (DIEZ POR CIENTO MÁS ELEVADO) | 85-100 |
| BUENO | (VEINTE POR CIENTO SIGUIENTE) | 75-80 |
| REGULAR | (TREINTA POR CIENTO SIGUIENTE) | 65-70 |
| DEFICIENTE | (CUARENTA POR CIENTO MÁS BAJO) | 0-60 |

# 20

## ¿Eres realmente feliz?

Antes de que la ciencia psicológica alcanzara las cotas actuales podía parecer extraño preguntar si una persona aparentemente feliz lo era realmente. Pero en nuestros días es sabido que podemos ocultar, incluso a nosotros mismos, los principales temores, angustias e inseguridades que a menudo nos roen interiormente. Con frecuencia, el hombre que se considera afortunado no puede dejar de sentir congojas e insatisfacciones que sólo pueden ser descritas como desdicha, mientras muchos que se consideran desdichados son, de hecho, más felices que la mayoría.

### La felicidad humana es compleja

Hasta cierto punto, la felicidad puede considerarse como la ausencia de deseo; más correctamente aún, como la ausencia del deseo que no puede ser satisfecho. Un cerdo, por ejemplo, alcanza fácilmente la dicha porque su principal deseo consiste en engullir, y habitualmente puede satisfacerlo.

En los seres humanos el proceso es más difícil porque los deseos humanos son al mismo tiempo más numerosos y más complejos que los de los cerdos..., y con más frecuencia imposibles de satisfacer. Más aún, a menudo hemos observado que la gente es más feliz mientras se dirige a una meta ansiada que cuando la ha alcanzado. De modo que la ausencia de deseos insatisfechos o imposibles de satisfacer —el estado que designaremos de satisfacción— no lo es todo.

Aparentemente, cierta dosis de deseo incipiente, de expectativa, juega un papel en el modelo de felicidad. Esto coincide con el concepto psicológico del ser humano como máquina de estímulo-respuesta. El hambriento que se encuentra expuesto al estímulo de un bistec, por ejemplo, responde con mirada entusiasta y se le hace la boca agua. En ese momento tiene un deseo y es feliz ante la expectativa de su fácil satisfacción. Si le inhibiera la angustia por la digestión, no se sentiría tan dichoso. Pero como carece de esa contención, adelanta un vehemente tenedor, se lleva un bocado a la boca y experimenta placer, experimenta la satisfacción del deseo, la sensación de una respuesta correcta a un estímulo dado. Una vez devorado el bistec, como no siente más deseos, está momentáneamente contento.

Pero el contento se desvanece con rapidez, y junto con él una parte de la felicidad, ya que es un axioma psicológico el que toda respuesta es en sí misma un estímulo que requiere una nueva respuesta: el hombre saturado de bistec quiere ahora bicarbonato sódico.


## La felicidad es un estado comparativo

La cadena estímulo-respuesta, condicionada por las circunstancias, se extiende desde la cuna hasta la tumba, haciendo de la persona normal una criatura de constantes insatisfacciones. En consecuencia, cuando hablamos de felicidad hablamos de felicidad *relativa*. A propósito, la excesiva ausencia de deseo e irritación (como durante el sueño) es afín a la muerte.

En este capítulo no sólo buscamos indicios que señalen si tus deseos no pueden ser satisfechos debido a barreras psicológicas, sino también si tus deseos son alcanzables; deseos que se prestan a una fácil satisfacción, siendo así la sustancia de la felicidad. Una puntuación elevada sugerirá que eres realmente feliz en comparación con la mayoría, lo sepas o no.

INSTRUCCIONES: *Marca Sí cuando coincidas en un sentido general con un enunciado. Marca NO si te sientes inclinado a discrepar. Trata de responder a todas las preguntas. Trabaja tan lentamente como desees.*

### SIN LÍMITE DE TIEMPO

1. En general las multitudes son deprimentes y por ese motivo habría que evitarlas.

   Sí ...... NO ......

2. La gente que es meticulosa, concienzuda y pulcra es, por lo general, preferible a las personas menos disciplinadas.

   Sí ...... NO ......

3. Siempre hay que tener en cuenta el hecho de que los planes de uno probablemente fracasarán.

   Sí ...... NO ......

4. Siempre hay que tener en cuenta el hecho de que los planes de uno saldrán bien.

   Sí ...... NO ......

5. A pesar de la universal aceptación de dormir en la oscuridad, en realidad es más agradable dormir en un lugar donde haya un poco de luz.

   Sí ...... NO ......

6. En general es más grato permanecer despierto en la cama por la mañana que levantarse inmediatamente después de despertar.

   Sí ...... NO ......

7. Uno debe entregarse a menudo a ensueños ociosos en los que se imagina realizando maravillosas proezas.

   Sí ...... NO ......

8. Cada uno es el amo de su destino y el único factor determinante de su propio éxito o fracaso.

   Sí ...... NO ......

117

9. Está bien que una persona dedique mucho tiempo a una afición que a veces interfiere su vida social o sus negocios.

SÍ ...... NO ......

10. Generalmente, es difícil estar cómodo con las mujeres.

SÍ ...... NO ......

11. En general, las mujeres son considerablemente superiores a los hombres.

SÍ ...... NO ......

12. En casi todas las esferas laborales se paga demasiado a la gente.

SÍ ...... NO ......

13. ¿Eres lo bastante perspicaz para notar a menudo que es evidente que la gente habla de ti y quizá sonríe en secreto por las cosas que haces?

SÍ ...... NO ......

.14. En general las mujeres son más falsas e intrigantes que los hombres.

SÍ ...... NO ......

15. Para evitar los problemas que impiden la felicidad, uno sólo debería actuar después de haber sopesado tan profundamente los pros y los contras que no le quede ninguna duda sobre el camino a seguir.

SÍ ...... NO ......

16. ¿Eres lo bastante sensible para saber casi siempre cuándo eres más criticado de lo que mereces?

SÍ ...... NO ......

17. (a) La gente necesita cierta cantidad de dinero para ser feliz.

SÍ ...... NO ......

(b) La gente enfermiza rara vez es feliz.

SÍ ...... NO ......

(c) La gente no debería casarse con alguien a quien no ama.

SÍ ...... NO ......

18. (a) ¿Crees en Dios?

Sí ...... NO ......

(b) ¿Crees en el comunismo o en el socialismo?

Sí ...... NO ......

(c) ¿Crees en el ateísmo?

Sí ...... NO ......

(d) ¿Confías en que Occidente triunfe sobre Rusia?

Sí ...... NO ......

19. ¿Crees en alguna filosofía, religión, o cualquier sistema de pensamiento humano u organización?

Sí ...... NO ......

20. Supón que hay gente en la que confías plenamente. En ese caso:

(a) Eres un tonto, porque en última instancia casi todos abandonan a los demás.

VERDAD ...... FALSO ......

(b) No eres un tonto, porque tus sentimientos te dicen que puedes confiar en esas personas y quieres hacerlo.

VERDAD ...... FALSO ......

(c) No eres un tonto, porque sabes que puedes confiar plenamente en la mayoría de las personas con quienes tropiezas.

VERDAD ...... FALSO ......

---

TU PUNTUACIÓN ......
PUNTUACIÓN PROMEDIO: 14

| | | |
|---|---|---|
| EXCELENTE | (DIEZ POR CIENTO MÁS ELEVADO) | 17-22 |
| BUENO | (VEINTICINCO POR CIENTO SIGUIENTE) | 15-16 |
| REGULAR | (TREINTA Y CINCO POR CIENTO SIGUIENTE) | 12-14 |
| INFERIOR | (TREINTA POR CIENTO MÁS BAJO) | 0-11 |

# 21

## ¿Sabes interpretar una situación?

La gran cuestión que falta decidir es si las situaciones inesperadas y la necesidad de tomar decisiones en un segundo te descentran. ¿Los actos impetuosos dejan tu mente en un remolino? ¿O eres uno de esos individuos afortunados cuyo cerebro sabe estar a la altura de las circunstancias?

La entretenida prueba que presentamos corresponde a la clase de «instrucciones complicadas», incluida en algunas de las baterías de pruebas mentales más conocidas. Muchos psicólogos de primera línea opinan que la capacidad de seguir instrucciones complejas es, en sí misma, un índice de la capacidad mental o, más específicamente, del lapso de atención y concentración. Si lo deseas puedes considerar tu puntuación desde ese punto de vista.

Pero se ha descubierto que esta capacidad muestra menos correlación que otras con el CI, por lo que se omite en la prueba de inteligencia general. Aquí la evaluamos, bajo condiciones específicas de tiempo, principalmente para descubrir si mantienes tu ecuanimidad mental y tu equilibrio en condiciones de tensión.

Una buena puntuación indicaría que tu mente sabe interpretar una situación cuando se presentan complicaciones bajo la presión del tiempo. Del grupo (adulto) de muestra sometido a prueba, el 10 % más elevado obtuvo 19 puntos o más, en tanto el 20 % siguiente consiguió entre 14 y 15 puntos. El 30 % siguiente alcanzó una puntuación de 12 a 13. Cuenta tus respuestas correctas y comprueba a qué grupo perteneces. Menos de 12 respuestas correctas demuestran que puedes tender a la confusión en situaciones desconocidas que requieren una rápida operación cerebral.

INSTRUCCIONES: *Limítate a seguir, lo mejor que puedas, las instrucciones del párrafo siguiente.*

LÍMITE DE TIEMPO: 5 MINUTOS

Si la letra Z aparece en cualquier sitio antes de esta coma, táchala, de lo contrario táchala en esta palabra: ZOO. Ahora, salvo que la palabra red aparezca en credo traza aquí una línea ondulada........., de lo contrario dibuja una cruz; a propósito, si A es el número 1 en el abecedario, ¿cuánto totaliza JM?......... Si los perros persiguen gatos y los gatos persiguen ratones, escribe el número impar de una sola cifra que se vuelve par cuando se mira invertido........., de lo contrario dibuja una cruz......... Aquí no escribas DISCURSIVO......... si la palabra no contiene todas las vocales, pero escribe en cambio las primeras cuatro vocales del abecedario. Ahora vuelve a la primera oración y rodea con un círculo la palabra ZOO, excepto si un círculo no puede representar ninguna letra del abecedario. Esto es todo con respecto al abecedario, salvo que si la C no es la tercera letra no dibujes un cuadrado en este espacio........., pero sí dibuja una oreja de vaca al pie de la página, salvo que la D no sea la segunda letra, en cuyo caso dibuja una oreja humana, a menos que no sepas dibujar una oreja humana. Si OREJA rima con CANIJA, dibuja una oreja. ¿Sabes contar de 10 hasta 5? Hazlo al revés, escribiendo los números en esta línea......... Ahora bien, si una BALLENA puede ser un pez o no ser un animal no dibujes una pelota a la izquierda de esta línea y escribe en cambio las letras que aparecen con menos frecuencia en ABRACADABRA. Puntúa esta oración para que tenga sentido: LO QUE ES ES. Luego, si la respuesta errónea a «¿Cuál es la provincia más extensa?» es «Badajoz», escribe aquí ZARAGOZA........., si no, no escribas en el mismo espacio ZOWIE, a menos que los ciervos oigan. Traza una línea sobre la segunda palabra de esta oración y bajo la segunda palabra de la oración siguiente. Escribe tres palabras que terminen en D en el margen superior de esta página. Escribe XYZ a la izquierda de la página si un círculo no es un cuadrado. ¡Espera! Escríbelo en cambio a la derecha de la página excepto si un círculo es a veces más grande que un cuadrado. A continuación, da la respuesta errónea a la negativa de esta pregunta: ¿CUÁNTOS AÑOS TIENES?......... Si piensas que ya es suficiente escribe TÍO después de esta oración, de lo contrario escribe TÍO.

---

TU PUNTUACIÓN ......
PUNTUACIÓN PROMEDIO: 13

# 22

## Pon a prueba tu juicio

Sólo un porcentaje mínimo de seres humanos cuenta con un criterio agudo y prudente, y como la mayoría de los dones, es especialmente apreciado por aquellos que no lo poseen. Sin embargo, el juicio no es tanto un don natural como un hábito mental cultivado. Todos pueden adquirirlo, al menos en cierta medida, siempre que tengan capacidad de observación y razonamiento, y se tomen el trabajo de hacerlo.

Lo que con mayor frecuencia interfiere un juicio acertado es la pereza, seguida de cerca por los prejuicios. Los hábitos mentales placenteramente perezosos originan la universal enfermedad humana de sacar precipitadamente una conclusión, enfermedad cuyo síntoma es una alegre desconsideración por los datos de que se dispone. En cuanto a los prejuicios, hacen que una persona sea incapaz de responder a los hechos, de modo que sus decisiones son las de alguien anestesiado o sonámbulo.

Las claves de un buen juicio son un pensamiento esmerado más una mente receptiva en lugar de una llena de prejuicios. Si se cultiva la precaución para alcanzar cualquier conclusión hasta adquirir la costumbre, el individuo confiará en dichas cualidades tanto en las cuestiones nimias como en las más importantes, lo cual le será de gran ayuda en sus juicios cotidianos.

En esta prueba tienes mucho tiempo para observar y considerar la información dada, para tomar nota de cuestiones aparentemente insignificantes pero tal vez muy importantes. Ten en cuenta que te sancionarás con *dos* puntos y no con uno por cada respuesta errónea, de modo que no trates de adivinar: ¡usa el juicio!

INSTRUCCIONES: *Haz una señal en la respuesta correcta a cada una de las preguntas. No marques ninguna respuesta incorrecta.*

SIN LÍMITE DE TIEMPO

1. Si los bienes y servicios producidos este año en Estados Unidos tienen un valor de 500.000 millones de dólares —y suponiendo que las bombas termonucleares o similares no destruyan a la humanidad—, ¿qué valor anual tendrán los bienes y servicios producidos dentro de mil años?
   A ........:. Más de 1,6 billones.
   B ......... Más de 1,5 billones.
   C ......... Menos de 1,5 billones.
   D ......... Probablemente 1,9 billones.
   (Si no sabes responder, haz una señal aquí .........)

2. Teniendo en cuenta los recientes progresos de la investigación atómica, ¿cuántos años transcurrirán hasta que los científicos logren descomponer el átomo de oro?
   A ......... Diez años.
   B ......... Veinte años.
   C ......... Alrededor de veinte años.
   D ......... Más de veinte años.
   E ......... Alrededor de cincuenta años.
   F ......... Cien años.
   G ......... Nunca.
   (Si no sabes responder, haz una señal aquí.........)

3. Un hombre suma cinco veces una larga columna de cifras y obtiene los siguientes resultados: (a) 32.501 (b) 32.503 (c) 32.501 (d) 31.405 (e) 32.503. ¿Cuál de las sumas es probablemente la más correcta?

A ......... Un promedio de las cinco sumas.
B ......... 32.501.
C ......... 32.503.
D ......... 32.501 o 32.503.
(Si no sabes responder, haz una señal aquí.........)

4. La producción total de bolígrafos durante un año reciente
fue de 14.000.000. El largo de los bolígrafos oscilaba entre
los 8 y los 16 centímetros, con un promedio de 13 centí-
metros en más del 80 %. Si se sucedieran todos los bolí-
grafos unidos por sus extremos, ¿qué longitud alcanzarían?
A ......... Alrededor de 1.500 kilómetros.
B ......... Alrededor de la mitad del ancho del Pacífico.
C ......... Entre 1.500 y 1.600 kilómetros.
D ......... Entre 1.500 y 2.500 kilómetros.
(Si no sabes responder, haz una señal aquí.........)

5. *¿Cuál es el fallo subyacente en la lógica de este enunciado?*
En un año hay 365 días. Mateo duerme 8 horas diarias o
aproximadamente 122 días, por lo que quedan 243 días.
Mateo pasa otra hora diaria viajando de y al trabajo, y 7
horas diarias leyendo, distrayéndose, etc. Esto representa
otros 122 días, por lo que quedan 121 días. Quitando 52 domingos quedan 69 días. Pero 1 hora y 20 minutos diarios
para comer suman 20 días, por lo que quedan 49 días. Ade-
más, Mateo se toma medio día libre los sábados, lo que representa otros 26 días, quedando 9 días. Pero la empresa de
Mateo permanece cerrada 9 días festivos anualmente. En
consecuencia, ¡a Mateo no le queda tiempo para trabajar!
A) El enunciado menciona que Mateo viaja «de y al trabajo». Por lo tanto *trabaja*, lo que contradice todo el
enunciado . . . . . . . . . . . . . .
B) El enunciado cuenta ciertas horas más de una vez.
Por ejemplo, las horas de sueño de un año (que representan 122 días) están deducidas. Pero también están
deducidos 52 domingos sin descontar las horas de sueño ya deducidas de estos domingos . . . . . .
C) El enunciado es incorrecto porque ningún trabajador
pasa 7 horas diarias leyendo o distrayéndose. Si el señor Mateo pasara menos horas leyendo y distrayéndose
y no tuviera que viajar tan lejos, tendría tiempo para
trabajar . . . . . . . . . . . . . .

(Si no sabes responder, haz una señal aquí.........)

6. Cierto día, en un hipódromo, tres famosos jugadores utilizaron un sistema de apuestas distinto cada uno.

A ......... Félix apostó 100 dólares en la primera carrera, 110 en la segunda, 120 en la tercera... con la intención de elevar cada apuesta en 10 dólares, de manera similar, hasta acertar un ganador.

B ......... José, un jugador más prudente, apostó de la siguiente manera:
10 dólares en la primera carrera,
15 dólares en la segunda carrera,
30 dólares en la tercera carrera y así sucesivamente..., consistiendo su sistema en que cada apuesta totalizara todas las cifras anteriormente perdidas más 5 dólares.

C ......... Jaime, un ex jockey, apostó de la siguiente manera:
10 dólares en la primera carrera,
20 dólares en la segunda carrera,
40 dólares en la tercera carrera y así sucesivamente..., con la intención de seguir doblando sus apuestas hasta acertar un ganador.

¿Cuál de los sistemas exigió el menor capital inicial, si el apostante quería tener la seguridad de que le alcanzaría el dinero para todo el programa del día, que era de siete carreras?

(Si no sabes responder, haz una señal aquí.........)

---

TU PUNTUACIÓN ......
PUNTUACIÓN PROMEDIO: 8

| | | |
|---|---|---|
| SUPERIOR | (DIEZ POR CIENTO MÁS ELEVADO) | 0 |
| BUENO | (VEINTE POR CIENTO SIGUIENTE) | 2-4 |
| REGULAR | (TREINTA POR CIENTO SIGUIENTE) | 6-8 |
| DEFICIENTE | (CUARENTA POR CIENTO MÁS BAJO) | 10-12 |

# 23

## ¿Eres decidido?

La inclinación a tomar decisiones impulsivamente es una desventaja en la mayoría de las ocupaciones de la vida, y fatal en algunas; en la ciencia, por ejemplo, que exige un juicio aplazado y mucha paciencia hasta contar con todos los datos.

No obstante, hay ocasiones en que deben tomarse decisiones instantáneas aunque prefiriéramos aplazar el juicio; cuando la indecisión es más perjudicial que una decisión equivocada. En esos momentos somos como un nadador que no divisa tierra: si permanece en el mismo lugar constantemente, debatiéndose en cuanto a qué dirección tomar y empezar a dar brazadas, tarde o temprano se ahogará; pero si nada en cualquier dirección, al menos tiene alguna posibilidad de llegar a la playa.

La cuestión consiste en que, aunque seamos capaces de hacer un juicio bastante acertado cuando contamos con mucho tiempo para analizar todos los aspectos de una situación, ignoramos qué haríamos si tuviésemos muy poco tiempo para un examen semejante. ¿Vacilamos y titubeamos? ¿O tenemos el coraje y la iniciativa de actuar decididamente cuando es aconsejable la acción? Sobre todo, cuando nos encontramos en una situación semejante, ¿nos limitamos a hacer una conjetura, o tenemos suficiente presencia de ánimo para aprovechar lo mejor posible el tiempo limitado o los hechos limitados de que disponemos? ¡Un juicio rápido no es, necesariamente, un juicio errado!

En un sentido riguroso, esta desafiante prueba sólo examina una minúscula faceta de cuál sería tu pauta de conducta bajo compulsiones como las mencionadas. Sólo presenta uno del número casi infinito de tipos de situaciones en que hay que tomar una rápida decisión, muchas de las cuales implican factores totalmente distintos a los que aquí son significativos. Sin embargo, las tareas que siguen te dirán si actúas con más o menos decisión y precisión que otro, bajo circunstancias similares.

*Primer apartado*

INSTRUCCIONES: *Decide cuáles son las tres líneas de cada ejemplo que suman mayor cantidad, y haz una señal junto a dichas líneas.*

*No tendrás tiempo de sumar realmente todas las líneas. Conjetura lo mejor posible, o suma tantas líneas como el tiempo te lo permita, con la probabilidad de que te proporcione al menos algunas respuestas correctas.*

## LÍMITE DE TIEMPO: 2 MINUTOS

NO REVISES LOS EJEMPLOS ANTES DE EMPEZAR LA PRUEBA

Ejemplo I:

A. .......... 1 2 3 4 5 6 7
B. .......... 1 1 2 3 4 5 6
C. .......... 7 6 5 4 3 2 1
D. .......... 2 3 7 5 6 8 6
E. .......... 2 3 4 5 6 6 7
F. .......... 1 1 1 7 7 7 1
G. .......... 2 8 3 4 5 6 8
H. .......... 2 1 1 3 4 5 8

Ejemplo II:

A. .......... 1 1 1 1 5 5 5
B. .......... 1 5 1 5 1 5 1
C. .......... 1 6 4 6 5 1 5
D. .......... 5 6 4 6 0 1 1
E. .......... 6 1 1 5 5 4 0
F. .......... 1 2 0 5 6 4 1
G. .......... 1 5 3 6 7 5 1
H. .......... 1 7 3 3 1 6 5

## Ejemplo III:

A. .......... 1 5 7 9 8 3 2
B. .......... 9 0 3 6 7 2 1
C. .......... 8 8 9 5 3 6 1
D. .......... 4 5 6 4 5 3 9
E. .......... 6 9 3 2 1 9 9
F. .......... 5 4 1 2 8 3 8
G. .......... 1 9 8 8 7 5 6
H. .......... 5 6 7 6 5 8 7

*Segundo apartado*

**INSTRUCCIONES:** *Decide cuáles son las tres líneas que contienen más letras y haz una marca junto a dichas líneas. No tendrás tiempo de contar realmente las letras, pero adivina con la mayor sagacidad posible.*

**LÍMITE DE TIEMPO: 30 SEGUNDOS**

Ejemplo IV:

1. .......... B B B B B  B B B B B  B B B B B
2. .......... B W B W B W B  B W B W B W B
3. .......... WWWWWW  WWWWWW
4. .......... O O O O O  O O O O O O  O O O O O
5. .......... IIIIIII  IIIIII  IIIIII  IIIIIII
6. .......... V O V O V O V O V O  V O V O V O V O
7. .......... IIIII  IIIII  IIIIII  IIIII  IIIIII
8. .......... W I W I W I W I W I  W I W I W
9. .......... VIII  VIIII VIIII VIII VIIII  VIII

*Tercer apartado*

**INSTRUCCIONES:** *Cada círculo está dividido en porciones. Marca los dos círculos que estén divididos en el mayor número de porciones. No tendrás tiempo de contarlas realmente, de modo que adivina con la mayor sagacidad posible.*

Ejemplo V:

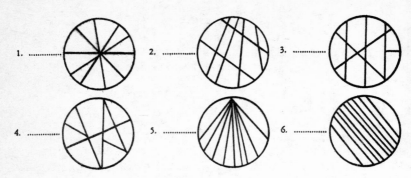

TU PUNTUACIÓN ......
PUNTUACIÓN PROMEDIO: 38

| | | |
|---|---|---|
| SUPERIOR | (DIEZ POR CIENTO MÁS ELEVADO) | 0-22 |
| BUENO | (VEINTE POR CIENTO SIGUIENTE) | 23-31 |
| REGULAR | (TREINTA POR CIENTO SIGUIENTE) | 32-41 |
| DEFICIENTE | (CUARENTA POR CIENTO MÁS BAJO) | 42-77 |

# 24

# ¿Eres minucioso?

¡Con cuánta frecuencia hemos oído definir el genio como «una infinita capacidad de esmero»! Aunque no es tan sencillo, el genio exige suficiente aplicación para asegurar el desempeño de una tarea compleja hasta el más mínimo detalle. Muchas personas dotadas en cualquier otro sentido carecen de genio porque les falta minuciosidad. Algunos menos dotados alcanzan, en ocasiones, sorprendentes éxitos sencillamente porque desempeñan con minuciosidad las tareas que realizan.

Pero una costumbre del genio es la selección precisa de aquellas tareas que son más pertinentes a la meta propuesta y la plena concentración en ellas, aunque signifique descuidar las menos importantes. En el caso del genio —como en todos los casos— a menudo escasea el tiempo para dedicar a cada tarea una esmerada atención, sin contar con que no todas las tareas merecen semejante atención. De modo que lo que habitualmente cuenta es lo siguiente: ¿puedes dedicarle a una tarea la atención que merece, o sea, la suficiente para obtener resultados, pero no tanta como para convertirla en un mero ajetreo o en pensamientos repetitivos?

INSTRUCCIONES: *En este caso la exactitud es más importante que la rapidez. Cuenta cuidadosamente los puntos de las áreas del grabado que se indican y escribe tus respuestas en las líneas de puntos que aparecen a la izquierda de cada pregunta.*

LÍMITE DE TIEMPO: 3 MINUTOS

*¿Cuántos puntos hay...*

1. ...... en el cuadrado pero no en el triángulo, ni en el círculo, ni en el rectángulo?
2. ...... en el círculo pero no en el triángulo, ni en el cuadrado, ni en el rectángulo?
3. ...... en el triángulo pero no en el círculo, ni en el cuadrado, ni en el rectángulo?
4. ...... en el rectángulo pero no en el triángulo, ni en el círculo, ni en el cuadrado?
5. ...... comunes al triángulo y al círculo, pero no en el rectángulo ni en el cuadrado?
6. ...... comunes al cuadrado y al triángulo, pero no en el rectángulo ni en el círculo?
7. ...... comunes al cuadrado y al círculo, pero no en el triángulo ni en el rectángulo?
8. ...... comunes al cuadrado y al rectángulo, pero no en el círculo ni en el triángulo?
9. ...... comunes al triángulo y al rectángulo, pero no en el círculo?
10. ...... comunes al círculo, el cuadrado, el triángulo y el rectángulo?

TU PUNTUACIÓN ......
PUNTUACIÓN PROMEDIO: 5

| | | |
|---|---|---|
| SUPERIOR | (DIEZ POR CIENTO MÁS ELEVADO) | 0-2 |
| EXCELENTE | (DIEZ POR CIENTO SIGUIENTE) | 3-4 |
| BUENO | (VEINTE POR CIENTO SIGUIENTE) | 5-6 |
| REGULAR | (VEINTE POR CIENTO SIGUIENTE) | 7-8 |
| DEFICIENTE | (CUARENTA POR CIENTO MÁS BAJO) | 9-20 |

# 25

## Pon a prueba tu matrimonio

Esta prueba, aunque basada en el método científico, no debe considerarse como algo más que una medición aproximada de las fortalezas y las debilidades matrimoniales. Aunque en la construcción de las preguntas se han empleado criterios psicológicos considerablemente fiables, el hecho es que con el propósito de ser plenamente válida, cualquier exploración en una cuestión tan compleja requeriría mucho más espacio del que aquí tenemos.

No obstante, tus respuestas te proporcionarán algunas indicaciones de lo que puede andar mal en tu matrimonio... y de lo que puede andar bien. Si *no estás* casado, ésta es tu oportunidad de descubrir y corregir actitudes tuyas que más tarde podrían conducirte a la desdicha.

Tanto desde un punto de vista científico como personal, el principal valor de esta prueba es el siguiente: permite que compares tus actitudes relevantes con las de los demás, y que descubras cuál sería tu nivel en el grupo con el cual se homologó la puntuación. Resulta interesante —aunque te advertimos que no necesariamente significativo— observar que de las personas casadas que alcanzaron una puntuación superior a la media del grupo sometido a prueba, el 69 % afirmó que su matrimonio era «feliz».

INSTRUCCIONES: *Si en un sentido general coincides con un enunciado, haz una marca en VERDAD. Si discrepas con un enunciado o consideras que es dudoso, haz una marca en FALSO.*

## SIN LÍMITE DE TIEMPO

1. No tiene sentido que te preocupes demasiado dilucidando si tu matrimonio funcionará, dado que si empeora siempre puedes separarte.

   VERDAD ...... FALSO ......

2. Un matrimonio feliz requiere que el esposo y la esposa tengan intereses similares.

   VERDAD ...... FALSO ......

3. Un matrimonio feliz requiere seguridad económica.

   VERDAD ...... FALSO ......

4. La mujer es incapaz de un amor físico tan intenso como el del hombre.

   VERDAD ...... FALSO ......

5. La atracción entre marido y mujer está condenada a debilitarse después de unos años de matrimonio.

   VERDAD ...... FALSO ......

6. El hombre o la mujer de cuarenta años no pueden ser tan atractivos como un muchacho o una chica de veinte.

   VERDAD ...... FALSO ......

7. El hombre y la mujer no pueden ser amigos íntimos en el verdadero sentido de la palabra.

   VERDAD ...... FALSO ......

8. A menos que persista una fuerte atracción sexual entre marido y mujer, tarde o temprano su matrimonio se irá a pique.

   VERDAD ...... FALSO .....

9. Para ser realmente considerados y con el propósito de no hacer una parodia del amor, el esposo y la esposa deben tener horarios definidos para los actos sexuales.

VERDAD ...... FALSO ......

10. Está bien que una persona flirtee con otra que no sea su cónyuge, siempre que no estén implicados su afecto ni sus intereses.

VERDAD ...... FALSO ......

11. Los matrimonios son más felices cuando uno de los dos está siempre dispuesto a acceder a los deseos del otro.

VERDAD ...... FALSO ......

12. La pareja no debe tener relaciones sexuales más de una vez por semana.

VERDAD ...... FALSO ......

13. Los hijos perjudican más de lo que benefician al matrimonio.

VERDAD ...... FALSO ......

14. Una esposa descarriada es más culpable que un marido descarriado.

VERDAD ...... FALSO ......

15. Un hombre puede amar a dos mujeres al mismo tiempo o una mujer amar a dos hombres al mismo tiempo.

VERDAD ...... FALSO ......

16. En general los matrimonios son más felices cuando reciben a la menor cantidad posible de amigos y parientes.

VERDAD ...... FALSO ......

17. Cuanto más tiempo permanezca una pareja en su casa, en lugar de asistir a fiestas y reuniones, más posibilidades tiene de ser feliz.

VERDAD ...... FALSO ......

18. El amor es un juego.

VERDAD ...... FALSO ......

19. El amor es una cuestión terriblemente seria.

    VERDAD ...... FALSO ......

20. En un matrimonio auténticamente feliz, el hombre debe ser capaz de ser útil en la casa en cuestiones tales como la instalación de estantes o la reparación de grifos que gotean, y la mujer debe saber preparar comidas apetitosas y sanas.

    VERDAD ...... FALSO ......

21. El marido y la mujer deben pasar siempre juntos sus vacaciones.

    VERDAD ...... FALSO ......

22. Es del todo correcto que en ocasiones el marido y la mujer quieran pasar una noche o dos separados.

    VERDAD ...... FALSO ......

23. En cierto sentido el matrimonio es noble porque (señala una de las respuestas):
    a) está santificado por Dios ......
    b) asegura la continuación de la especie ......
    c) puede significar la compañía ideal entre hombre y mujer ......

24. En la mayoría de los matrimonios realmente felices, el marido mantiene las cuestiones de negocios separadas del hogar y no las discute con su esposa.

    VERDAD ...... FALSO ......

25. Si una mujer alcanza mayor éxito social, profesional o económico que el marido, finalmente el matrimonio se vuelve desdichado.

    VERDAD ...... FALSO ......

---

TU PUNTUACIÓN ......
PUNTUACIÓN PROMEDIO: 16

| SUPERIOR | (DIEZ POR CIENTO MÁS ELEVADO) | 21-25 |
| BUENO | (VEINTE POR CIENTO SIGUIENTE) | 18-20 |
| REGULAR | (TREINTA POR CIENTO SIGUIENTE) | 16-17 |
| DEFICIENTE | (CUARENTA POR CIENTO MÁS BAJO) | 0-15 |

# 26

# ¿Sabes tratar a la gente?

Las pruebas destinadas a investigar el talento ejecutivo incluyen a menudo tablas que exploran las actitudes interpersonales; actitudes relacionadas con el hecho de lograr que clientes, subordinados y colegas vean las cosas a tu manera y, en consecuencia, las hagan a tu manera. Pero estas mismas actitudes no sólo son útiles para el ejecutivo comercial; son armas importantes en el arsenal del profesional, el vendedor o cualquier otra persona cuyo trabajo le exija tratar directamente con individuos o pequeños grupos.

Manejar grupos más numerosos —o sea, actuar como «líder»— no parece requerir los mismos atributos y actitudes que son obviamente valiosos para tratar individualidades. A pesar de las constantes y exhaustivas investigaciones de sociómetras y psicómetras, siguen siendo oscuras las cualidades que determinan el liderazgo del grupo.

Es sabido, por ejemplo, que el líder «natural» de un grupo puede ser una de las personas más populares de ese grupo, pero también se sabe que con frecuencia es una de las menos populares. El líder de una situación puede ser desplazado por otro y surge una situación nueva. Los miembros de un club pueden elegir a un presidente en base a que su inteligencia y persuasión supera la de ellos, o rechazarlo por las mismas razones.

En tanto los estudios relativos a liderazgo de grupos ofrecen resultados a menudo contradictorios, incoherentes y confusos, el cuadro es más claro en el campo de las relaciones interpersonales. En este caso han emergido ciertas actitudes como indicativos considerablemente fiables de, como mínimo, una capacidad latente para dirigir e influir individualmente en la gente, o en grupos de dos o tres personas... demasiado poco numerosos para aplicar la dinámica de grupo.

La conducción y el manejo de personas en el mundo comercial puede lograrse de diversas maneras. Algunos ejecutivos —no demasiados— funcionan inspirando y estimulando a quienes los rodean. Otros encuentran la eficacia blandiendo el látigo: despertando temor en los subordinados, coercionando a los superiores, amenazando a los proveedores.

Pero éstos no son los caminos que con más frecuencia se siguen. Habitualmente las personas que tienen éxito en sus negocios o en sus contactos profesionales no son inspiradoras ni rigoristas. Han adquirido, más bien, convincentes técnicas de expresión, trato y acercamiento, que a su vez se originan en actitudes investigadas en el siguiente cuestionario.

INSTRUCCIONES: *Responde a cada pregunta según se indica. No adivines, pero tampoco seas demasiado cauto. Si prefieres no hacer una elección, haz una marca en la línea correspondiente.*

### LÍMITE DE TIEMPO: 4 MINUTOS

1. Un buen vocabulario es, a menudo, característica de una persona superior. Palabras como «çotidiano», que significa que «sucede diariamente», no sólo son sumamente impresionantes sino, con frecuencia, más pertinentes y precisas. Supón que te diriges a un doctor en Filosofía excepcionalmente culto que domina la filología de varios idiomas incluyendo la castellana ¿qué frase consideras más eficaz para expresar tu idea? *(Marca una de las respuestas.)*
   A ...... Ocurre día tras día.
   B ...... Es un acontecimiento cotidiano.
   C ...... Ocurre frecuentemente.
   NINGUNA ELECCIÓN ......

2. En un sentido general, ¿cuál de las siguientes oraciones es preferible? *(Marca una de las respuestas.)*

A ...... Como me encontraba en el barrio se me ocurrió pasar por aquí y discutir el asunto.

C ...... Vine especialmente para hablar contigo sobre esta cuestión.

NINGUNA ELECCIÓN ......

3. Eres jefe y uno de tus empleados te plantea una idea para incrementar la eficacia. Tú ya la habías pensado y te dispones a ponerla en práctica. ¿Cuál de las siguientes actitudes sería más conveniente adoptar? *(Marca una de las respuestas.)*

A ...... Decirle al empleado que ya has pensado lo mismo pero agradecer su sugerencia.

B ...... No decirle que lo habías pensado con anterioridad y sencillamente alabarlo por su cooperación.

NINGUNA ELECCIÓN ......

4. Una mujer entra en tu zapatería recién inaugurada a comprar un par de zapatillas. Tienes dificultades en satisfacerla porque su pie derecho es más grande que el izquierdo y consideras necesario explicárselo. Escribe las palabras más adecuadas:

«Señora, su pie ............ es más ......... que el ............»

NINGUNA ELECCIÓN ......

5. Eres el gerente de unos grandes almacenes. Una irritada clienta se precipita en tu despacho y presenta una apasionada queja. Inmediatamente te das cuenta de que está equivocada. ¿Cuál sería tu primer paso? *(Marca una de las respuestas.)*

A ...... Tratas de evaluar cómo llegó a esa conclusión, por errónea que sea, y muestras cierta comprensión.

B ...... Le haces saber amablemente que su interpretación es falsa y que el error es suyo, no de la tienda.

C ...... Le dices que careces de autoridad y que para obtener satisfacción, si corresponde, tendrá que presentarse en el Departamento de Reclamaciones de la tienda o ante un ejecutivo de menor categoría del personal.

NINGUNA ELECCIÓN ......

6. Cuando intentas que un socio testarudo ponga en práctica tu idea o sugerencia, debes: (*Marca una de las respuestas.*)

A ...... Si es posible, tratar de presentar la idea de manera tal que el otro sienta que surge, al menos parcialmente, de su mente.

B ...... Asegurarte de que todo el mérito de la idea sea tuyo.

NINGUNA ELECCIÓN ......

7. Sabes que uno de tus posibles clientes colecciona mariposas. Aunque sólo tratas con él por cuestiones puramente comerciales, le muestras un espécimen de mariposa y dices: «A propósito, señor Vidal, me he enterado de que es un experto en mariposas. Mi hijo menor ha cazado ésta y la he guardado para preguntarle de qué tipo es». ¿Qué es probable que ocurra? (*Marca una de las respuestas.*)

A ...... El cliente te considerará presuntuoso y fuera de lugar.

B ...... El cliente se sentirá más favorablemente dispuesto hacia ti.

NINGUNA ELECCIÓN ......

8. En tu departamento hay que cumplir una serie de tareas que acarrean cierto número de complicados detalles. Como eres un atareado ejecutivo que ha ido ascendiendo, sabes que tú puedes ejecutar estos detalles mucho mejor que cualquier miembro del personal. En consecuencia, ¿qué debes hacer? (*Marca una de las respuestas.*)

A ...... Tomarte el tiempo necesario para cuidarte personalmente de cada detalle.

B ...... Planificar la forma de delegar muchos de los detalles a tus subordinados.

NINGUNA ELECCIÓN ......

9. Diez minutos después de salir del restaurante con uno de tus jóvenes subordinados, te das cuenta de que te han dado veinticinco pesetas de menos en la vuelta. Tu salario es elevado y tu tiempo muy valioso. ¿Qué debes hacer? (*Marca una de las respuestas.*)

A ...... Puesto que lo que cuenta no es el dinero sino los principios, debes volver al restaurante, quejarte y si es posible cobrar lo que se te debe.

B ...... Olvidar el asunto.

C ...... Enviar al subordinado a plantear la queja y recla-
mar el dinero.

NINGUNA ELECCIÓN ......

10. La falta de espacio te obliga a colocar el escritorio de una
dinámica especialista en tráfico al lado de los escritorios
del equipo de secretarias. Aquélla desempeña estupenda-
mente su trabajo por 7.500 dólares anuales y está en la
empresa desde sus inicios. Pero entra y sale a todas horas, se toma descansos no autorizados para beber café, se
viste desmañadamente y su escritorio nunca está ordenado,
lo que es un mal ejemplo para las buenas mecanógrafas.
Al trabajar por 60 dólares semanales, éstas son especialmente susceptibles dado que acaban de salir de la escuela comercial. En consecuencia deberías dar alguno de los pasos
siguientes. *(Marca una de las respuestas.)*
A ...... Despedir a la especialista en tráfico.
B ...... Despedir a las secretarias si se pasan de la raya,
ya que es mucho más fácil reemplazar a las chicas
de la escuela comercial que al personal especializado en tráfico.

NINGUNA ELECCIÓN ......

---

| SUPERIOR | (DIEZ POR CIENTO MÁS ELEVADO) | 27-30 |
|---|---|---|
| BUENO | (VEINTE POR CIENTO SIGUIENTE) | 21-24 |
| REGULAR | (TREINTA POR CIENTO SIGUIENTE) | 16-19 |
| DEFICIENTE | (CUARENTA POR CIENTO MÁS BAJO) | 0-15 |

# 27

## ¿Sabes evaluar situaciones?

Con demasiada frecuencia la gente no logra resolver problemas comerciales o personales debido a su incapacidad de evaluar la importancia relativa de los factores pertinentes. O puede sencillamente ser incapaz de reconocer lo pertinente, perdiendo así tiempo y energía en consideraciones que no vienen al caso.

La primera ley para alcanzar la solución de los problemas, entonces, consiste en analizar todos los factores no sólo en términos de importancia relativa, sino también en términos de pertinencia relativa. Esta prueba te ofrece la posibilidad de demostrar tu capacidad para dichos análisis.

En cualquier trabajo y en todas las profesiones, es vitalmente útil la facilidad para evaluar los datos suministrados por los sentidos y el cerebro. Sin embargo, la rapidez de esa evaluación puede ser igualmente importante. Por tal razón, en la prueba que sigue existe un límite de tiempo.

INSTRUCCIONES: *Si en general coincides con un enunciado, haz una marca en VERDAD. Si discrepas o consideras que es dudoso, haz una marca en FALSO.*

LÍMITE DE TIEMPO: 4 MINUTOS

1. Una empresa emplea quinientos obreros no especializados que ganan 80 dólares semanales cada uno, y diez ejecutivos que ganan 180 dólares por semana. El gerente piensa que si disminuye el salario de cada empleado en un 5 % ahorrará a la empresa más de 100.000 dólares anuales.

Naturalmente, una disminución global del salario involucraría el riesgo de que muchos empleados abandonaran la empresa. Por otro lado, el gerente sabe que un obrero no especializado es tan bueno como cualquier otro, y que en los alrededores hay muchos dispuestos a trabajar por 70 dólares semanales. También sabe dónde conseguir ejecutivos perfectamente eficaces por 150 dólares a la semana. En consecuencia, debería decidir la disminución del 5 % en el salario de todos los empleados.

VERDAD ...... FALSO ......

2. Insertas una moneda en un teléfono público. Haces la llamada y cuelgas, momento en que te es devuelta la moneda. En lugar de guardarte la moneda, debes reembolsarla a la compañía telefónica.

VERDAD ...... FALSO ......

3. Es mejor dar dinero a una institución benéfica organizada que a un mendigo, aunque las instituciones benéficas dedican la mitad de las donaciones al pago de sus propios gastos.

VERDAD ...... FALSO ......

4. Un caballo con la pata rota debe ser sacrificado, porque aunque es posible curársela se trata de un largo proceso costoso y duro para el animal; salvo, por supuesto, que se utilicen anestésicos y calmantes.

VERDAD ...... FALSO ......

5. En un restaurante no deben pedirse almejas asadas, ya que las meten vivas en el horno.

VERDAD ...... FALSO ......

6. En casa no deben comerse langostas porque deben cocinarse vivas, lo que para ellas es una tortura.

VERDAD ...... FALSO ......

7. Las vallas anunciadoras de las autopistas contribuyen mucho a la renta nacional. No obstante, habría que prohibirlas, porque estropean la belleza natural del campo.

VERDAD ...... FALSO ......

8. Si tienes tiempo, es mejor regatear con un comerciante y no permitir que te cobre más de lo justo.

VERDAD ...... FALSO ......

9. Tú sabes que los camareros dependen de las propinas para ganarse la vida. En una ciudad cualquiera entras en un restaurante y te sirven mal. No obstante, debes ser lo bastante tolerante para dejar la propina habitual en lugar de reducirla.

VERDAD ...... FALSO ......

10. Vas a un restaurante que frecuentas a diario. La camarera, habitualmente competente, te presta en esta ocasión un mal servicio. Sin embargo, debes dejarle la generosa propina acostumbrada, porque si la redujeras para mostrar tu disgusto, es probable que en los días siguientes obtuvieras un servicio peor aún.

VERDAD ...... FALSO ......

11. Estás almorzando en un restaurante en el que comes casi todos los días. El camarero que te atiende, por lo general indiferente, te presta un servicio excepcionalmente rápido, competente y alegre. Pero no debes mostrarle tu satisfacción dejándole más propina de la acostumbrada, ya que este hecho establecería un precedente demasiado caro si continuara —o daría por resultado un mal servicio si se interrumpiera—, y, de todos modos, lo que cabe esperar de un profesional es que preste un servicio bueno y grato.

VERDAD ...... FALSO ......

12. Al salir de un banco después de haber cobrado un cheque, descubres que el cajero te ha dado diez dólares de más. Supón que el banco, todo el personal y la empresa que emitió el cheque están asegurados contra pérdidas, y tú lo sabes. En tal caso puedes guardarte el dinero, ya que no lo has robado y nadie saldría perjudicado.

VERDAD ...... FALSO ......

| SUPERIOR | (CINCO POR CIENTO MÁS ELEVADO) | 0-2 |
| BUENO | (QUINCE POR CIENTO SIGUIENTE) | 3-7 |
| REGULAR | (TREINTA POR CIENTO SIGUIENTE) | 8-13 |
| DEFICIENTE | (CINCUENTA POR CIENTO MÁS BAJO) | 14-24 |

# 28

## ¿Eres ingenioso?

Tal vez no hay nada nuevo bajo el sol, pero nuevas formas de combinar y utilizar objetos o conceptos existentes mantienen ocupados al arquitecto, al ingeniero, al científico, al inventor e incluso al artista. Crear nuevas formas a partir de viejas formas, desarrollar nuevas ideas alterando y combinando otras, implica en primer lugar un análisis: una descomposición en partes, formas y propiedades. A ello sigue la síntesis: reunir esas fracciones en un todo nuevo con diferentes características.

El enfoque análisis-síntesis es sobre todo corriente entre aquellos que se inclinan por el pensamiento. La persona creativa, especialmente en el campo de las artes, con frecuencia prescinde del análisis y se concentra en la síntesis, tomando materiales o ideas dados y volviéndolos a combinar en nuevas formas mediante el método de tanteo.

Aunque los experimentos pueden ser llevados directamente al papel o a la máquina de coser, no se obtiene el mismo resultado que con un análisis previo, el cual hace posible una síntesis más rápida, más flexible y posiblemente más acertada en situaciones creativas complejas.

Así, el resultado final sería el mismo en cualquiera de los ejercicios de la prueba siguiente, tanto si analizaras primero las formas como si las reunieras en nuevas formas por el método de tanteo. Pero tu puntuación total se resentiría si no precedieras cada síntesis por un breve análisis sagaz, aunque no fuera más que por el tiempo que perderías en encontrar las soluciones.

Esta prueba se parece, fundamentalmente, a la titulada ¿Tienes inventiva?, pero sus dificultades son mayores; de hecho, quizá sea la más difícil de todo el libro. Una puntuación elevada tiende a indicar aptitudes para tareas que impliquen creatividad, pensamiento organizado y el factor intelectual implicado en la comprensión de las relaciones espaciales, pero no necesariamente involucran destreza verbal.

INSTRUCCIONES: *En cada uno de los diez problemas, las piezas separadas pueden reunirse para formar la figura grande y oscura. Dibuja líneas a pulso en la figura grande para indicar cómo se forma con las piezas. Puedes medir únicamente con el lápiz o los dedos.*

LÍMITE DE TIEMPO: 25 MINUTOS

| SUPERIOR | (DIEZ POR CIENTO MÁS ELEVADO) | 13-26 |
| BUENO | (VEINTE POR CIENTO SIGUIENTE) | 9-12 |
| REGULAR | (TREINTA POR CIENTO SIGUIENTE) | 5-8 |
| DEFICIENTE | (CUARENTA POR CIENTO MÁS BAJO) | 0-4 |

# Cuarta parte

# Aptitudes laborales

# 29

# ¿Tienes inclinación por la mecánica?

Aptitud para la mecánica puede significar la habilidad para manejar herramientas, máquinas y objetos en general. Pero el individuo que diseña un motor —aunque sea incapaz de construirlo o montarlo él mismo— también muestra, sin embargo, una clara aptitud para la mecánica.

En otras palabras, existe un nivel en el que la herramienta puede ser un instrumento, incluso una fórmula, donde lo que cuenta es la comprensión de los principios mecánicos más que la habilidad para manipular una llave inglesa.

La prueba que presentamos a continuación se refiere a esta segunda interpretación. No se tienen en cuenta la habilidad manual ni la motora. Se buscan, más bien, indicativos de tu ingenio con el espacio y la fuerza, y tu comprensión de los fenómenos mecánicos. La visualización y el razonamiento espacial —explorados en otras pruebas— también contribuyen a tu puntuación.

Pero, como cabe esperar, los factores aquí probados son también característicos de la persona que pertenece a la primera definición: la persona con gran capacidad para manipular herramientas; la que puede montar o reparar hábilmente artefactos mecánicos. A fin de proporcionar algún indicativo de tu potencial en esta dirección, ofrecemos una puntuación por separado, en la que se acentúan las aptitudes manuales y las motoras.

INSTRUCCIONES: *En cada ejemplo, marca la frase que completa correctamente el enunciado. No adivines.*

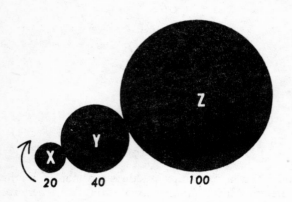

Supón que X, Y y Z de este grabado son engranajes. El engranaje X tiene 20 dientes y mueve al engranaje Y. El engranaje Y tiene 40 dientes y mueve al engranaje Z. El engranaje Z tiene 100 dientes.

1. Si X gira en la dirección de la flecha, Y se moverá
   (a) ...... en la misma dirección que la flecha.
   (b) ...... en dirección opuesta a la flecha.
   (c) ...... parcialmente en la misma dirección que la flecha
   y parcialmente en sentido contrario a las agujas
   del reloj.

2. Si X gira en la dirección de la flecha, Z se moverá
   (a) ...... en la misma dirección que la flecha.
   (b) ...... en dirección opuesta a la flecha.
   (c) ...... parcialmente en la misma dirección que la flecha
   y parcialmente en sentido contrario a las agujas
   del reloj.

3. Si Z da una vuelta completa, X dará
   (a) ...... 1/5 de vuelta.
   (b) ...... 5 vueltas.
   (c) ...... 1 ¼ de vuelta.

4. Si X da una vuelta completa, Z dará
   (a) ...... 1/5 de vuelta.
   (b) ...... 5 vueltas.
   (c) ...... 1 ¼ de vuelta.

5. Si X da una vuelta completa, ¿cuántas vueltas dará Y?
   (a) ...... 2 vueltas.
   (b) ...... ½ vuelta.
   (c) ...... 20 vueltas.

6. Si se inserta un cuarto engranaje entre X e Y, Z girará
   (a) ...... más rápido.
   (b) ...... ni más rápido ni más despacio.
   (c) ...... depende del tamaño del cuarto engranaje.

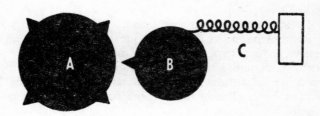

7. Examina el diagrama de arriba. La rueda A tiene 4 dientes
   y la rueda B tiene 1 diente. Cuando no se la hace girar,
   B retrocede a la posición original por el tirón del resorte
   de acero C. Por lo tanto,
   (a) ...... puesto que A engrana con B y que B no puede gi-
              rar continuamente a causa del resorte C, se des-
              prende que A no puede girar continuamente.
   (b) ...... si la rueda A ha girado más de una vez en sen-
              tido contrario a las agujas del reloj, B estirará
              demasiado el resorte obligando al aparato a dete-
              nerse, o el resorte se romperá por la tensión.

(c) ...... A puede seguir girando, haciendo que el diente de B se mueva 4 veces hacia abajo y hacia arriba a cada revolución de A.

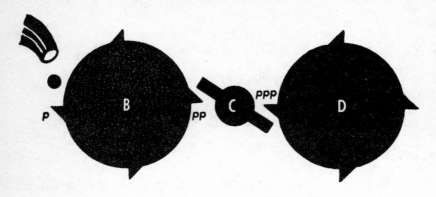

8. Observa la peculiar máquina que mostramos aquí arriba, probablemente inventada por Rube Goldberg. La figura está en posición de partida.

La idea consiste en que la bola salta del tubo y cae en la plataforma *p*, lo que hace que la rueda B gire parcialmente. Esto provoca que la plataforma *pp* golpee y haga girar fuertemente al brazo C, uno de cuyos extremos golpeará así la plataforma *ppp*, haciendo que la rueda D gire parcialmente. ¿Puede la máquina funcionar según esta descripción?

(a) ...... No.

(b) ...... No, a causa de la fricción.

(c) ...... Sí, si la bola es lo bastante pesada.

9. Quieres sacar de una pared un tornillo que se resiste. La mitad ya está afuera, pero no tienes destornillador para terminar la tarea. El mejor sustituto es

(a) ...... una moneda.

(b) ...... un cuchillo de mesa.

(c) ...... un cortaplumas.

(d) ...... unas tenazas.

10. Quieres quitar la tuerca de un perno oxidado que sobre-
    sale del hornillo. Como no tienes tenazas, debes usar
    (a) ...... un trozo de alambre enroscado alrededor de la
            tuerca.
    (b) ...... unas tijeras.
    (c) ...... un martillo.
    (d) ...... tus dientes.

11. Quieres meter un clavo en la pared del armario, pero no
    tienes martillo. Debes usar
    (a) ...... el mango de un cuchillo.
    (b) ...... un abrelatas.
    (c) ...... unas tenazas pesadas.
    (d) ...... una remachadora, si la tienes.

12. Te encuentras en un camino vecinal, tu coche tiene una
    rueda trasera desinflada y no tienes gato. ¿Cómo cambias
    la rueda?
    (a) ...... Colocas la rueda de recambio en el camino, haces
            retroceder el coche hasta que la rueda desinflada
            se apoye en la de recambio.
    (b) ...... Amontonas piedras o tierra, colocas la rueda de
            recambio en el montículo, haces retroceder el co-
            che hasta que la rueda desinflada se apoye en la
            de recambio, y entonces procedes.
    (c) ...... Amontonas piedras o tierra, haces retroceder el
            coche de modo que el eje trasero suba al mon-
            tículo.

13. Una caja clavada es más resistente que la misma caja en-
    colada.
    (a) ...... Claro.
    (b) ...... Claro que no.
    (c) ...... No necesariamente.

14. El diagrama muestra tres tipos de poleas. Las poleas pe-
    san 1 kilo cada una. Cada pesa inclina 500 kilos la balan-
    za. Haz una marca en el tipo que requiere la menor fuer-
    za en la dirección de la flecha para levantar la pesa.

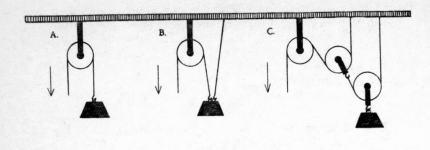

## HABILIDAD PARA MANIPULAR HERRAMIENTAS
### TU PUNTUACIÓN ......
### PUNTUACIÓN PROMEDIO: 193

| | | |
|---|---|---|
| SUPERIOR | (DIEZ POR CIENTO MÁS ELEVADO) | Más de 238 |
| BUENO | (VEINTE POR CIENTO SIGUIENTE) | 211-238 |
| REGULAR | (TREINTA POR CIENTO SIGUIENTE) | 184-210 |
| DEFICIENTE | (CUARENTA POR CIENTO MÁS BAJO) | 0-183 |

## COMPRENSIÓN MECÁNICA
### TU PUNTUACIÓN ......
### PUNTUACIÓN PROMEDIO: 125

| | | |
|---|---|---|
| SUPERIOR | (DIEZ POR CIENTO MÁS ELEVADO) | Más de 162 |
| BUENO | (VEINTE POR CIENTO SIGUIENTE) | 140-162 |
| REGULAR | (TREINTA POR CIENTO SIGUIENTE) | 118-139 |
| DEFICIENTE | (CUARENTA POR CIENTO MÁS BAJO) | 0-117 |

# 30

## ¿Tienes habilidad para la reproducción?

Actualmente, si buscas trabajo en una industria, puedes tropezar con el tipo de prueba que ofrecemos en este capítulo, la cual se ha convertido en favorita de los consejeros vocacionales y de los departamentos de personal. Exige muy poco esfuerzo mental y es entretenida, pero resulta discutible qué es lo que mide.

Al igual que en las sencillas pruebas graduales y de empleo, hay un factor de *percepción* general que afecta tu puntuación. Pero la carga más significativa parece residir en los factores de *disposición y reproducción* ampliamente difundidos por MacQuarrie y otros.

Si hemos de creer lo que a veces se afirma de las pruebas de este tipo, pueden demostrar predilección por una enorme variedad de tareas que van desde empaquetar hasta la adaptación espacial necesaria para manipular herramientas y realizar montajes.

A modo de ejemplo de hasta qué punto pueden llegar dichas afirmaciones, una reciente y popular investigación de las guías laborales aseguraba que la prueba de reproducción-copia mide la capacidad de «trazado creativo». ¡Qué absurdo! Obviamente, copiar es la negación de crear.

De modo que hay que tener en cuenta una cosa: si bien la

prueba de reproducción-copia puede relacionarse razonablemente con la capacidad para muchas tareas industriales, una puntuación elevada no demuestra, necesariamente, dicha habilidad. Tampoco una puntuación baja la niega. El hecho es que son escasas las correlaciones significativas. No obstante, la prueba que aquí incluimos es un ejemplo de lo que probablemente encontrarás si buscas trabajo en nuestras grandes fábricas y plantas de montaje.

INSTRUCCIONES: *Un círculo de cada par contiene unas marcas en forma de X. Reproduce la disposición dibujando las X en los puntos correspondientes del segundo círculo. Por ejemplo:*

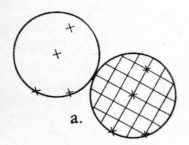
a.

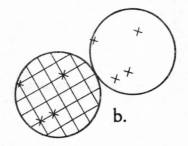
b.

*En esta prueba la exactitud es más importante que la velocidad, pero no debes usar regla ni ningún otro tipo de ayuda mecánica. Debes medir únicamente con la mirada.*

LÍMITE DE TIEMPO: 3 MINUTOS

TU PUNTUACIÓN ......
PUNTUACIÓN PROMEDIO: 74

| SUPERIOR | (DIEZ POR CIENTO MÁS ELEVADO) | 85-100 |
| BUENO | (VEINTE POR CIENTO SIGUIENTE) | 78-84 |
| REGULAR | (TREINTA POR CIENTO SIGUIENTE) | 70-77 |
| DEFICIENTE | (CUARENTA POR CIENTO MÁS BAJO) | 0-70 |

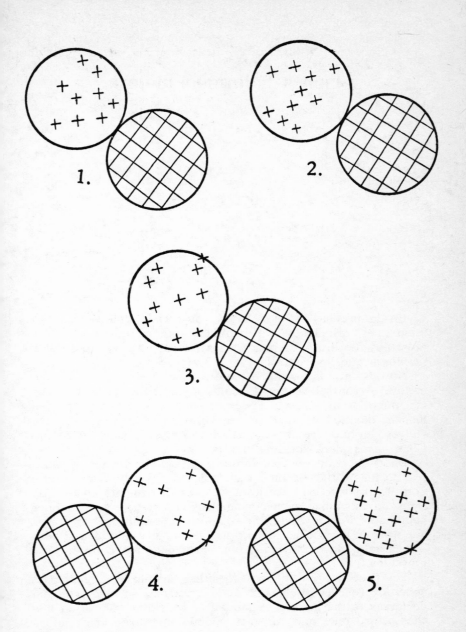

1.

2.

3.

4.

5.

# 31

# ¿Tienes habilidad motora?

En la prueba anterior habrás observado que la destreza manual es, principalmente, habilidad motora, que incluye los músculos del brazo, la mano y los dedos junto con las fibras nerviosas que los controlan.

No obstante, la habilidad motora propiamente dicha no sólo incluye el control de los músculos de la mano, sino de todos los músculos del cuerpo. Podemos llegar a una verdadera evaluación de tal habilidad, por ejemplo, haciéndote correr cien metros, levantar pesas, comprimir resortes de acero y desempeñar otros ejercicios musculares.

Dado que esta obra se limita a pruebas con papel y lápiz, resulta más difícil encontrar el índice de la habilidad motora. Con el propósito de hacerlo, confiamos firmemente en los factores de movilidad y velocidad, pero recuerda que cualquier habilidad así demostrada sólo se aplica al conjunto de músculos que usas en la prueba. Puede o no indicar una habilidad similar —o la falta de la misma— por parte de otros conjuntos de músculos.

Las pruebas de este tipo específico se utilizan a veces para poner de relieve otra cualidad: la tenacidad en el desempeño de tareas rutinarias. Esta cualidad se considera valiosa en muchas ocupaciones que exigen un monótono trabajo en serie, ca-

rente de variedad. Por ejemplo, la labor en una línea de montaje. Aparentemente a causa de una mayor capacidad para la rutina, a la que probablemente se suman reacciones más rápidas, en esta prueba las mujeres pueden alcanzar puntuaciones más elevadas que los hombres.

*Primer apartado*

INSTRUCCIONES: *Los diagramas de la página anterior están divididos en cuadrados. Tu tarea consiste en golpear con la punta de un lápiz de tal manera que marques 2 puntos en cada cuadrado. Trabaja a la mayor velocidad que puedas.*

LÍMITE DE TIEMPO: 2 MINUTOS

*Segundo apartado*

INSTRUCCIONES: *Golpear con la punta del lápiz de modo que se marque 1 punto en cada círculo de los diagramas de las páginas siguientes. Trabaja a la máxima velocidad posible.*

LÍMITE DE TIEMPO: 3 MINUTOS

---

TU PUNTUACIÓN ......
PUNTUACIÓN PROMEDIO: 88

| | | |
|---|---|---|
| SUPERIOR | (DIEZ POR CIENTO MÁS ELEVADO) | 108-140 |
| BUENO | (VEINTE POR CIENTO SIGUIENTE) | 95-107 |
| REGULAR | (TREINTA POR CIENTO SIGUIENTE) | 83-94 |
| DEFICIENTE | (CUARENTA POR CIENTO MÁS BAJO) | 0-82 |

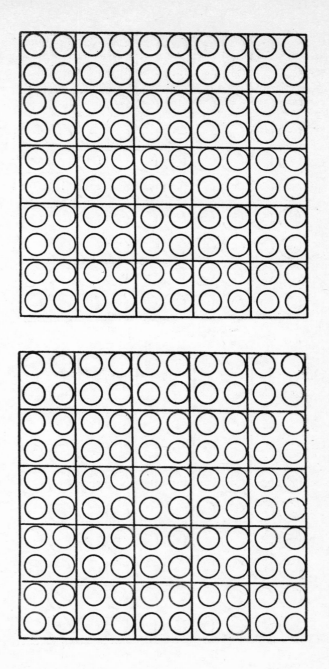

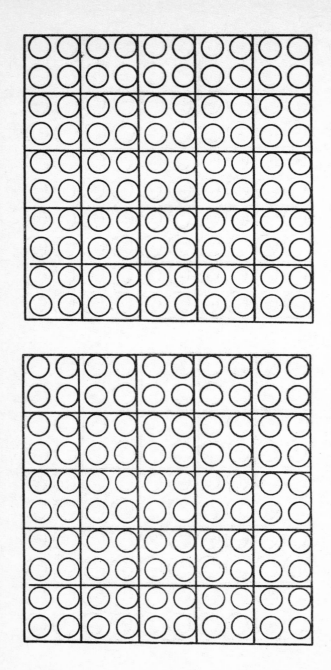

# 32

## ¿Posees destreza?

En nuestra era tecnológica, la «destreza manual» —tan a menudo sometida a prueba por los psicólogos de orientación vocacional— suele entenderse como la habilidad para el desempeño rápido y preciso de sencillos movimientos de la mano. Aunque dicha habilidad es incuestionablemente valiosa en una sociedad de producción en masa, se parece muy poco a esa otra destreza más compleja de los tiempos en que los hombres construían sus propias chozas y fabricaban sus propios zapatos.

Como la mayoría de las pruebas de rendimiento, las que se usan actualmente para medir la destreza manual se prestan muy bien a la estandarización. Por otro lado, a menudo tienden a confundir capacidad de movilidad y precisión. Por ejemplo, una persona puede colocar más puntos en un área dada, pero otra puede hacer más puntos en un tiempo dado. ¿Cuál es más diestra?

Nuestra prueba de destreza pone el acento en la precisión, de acuerdo con la teoría de que la persona cuyo pulso vacila no puede considerarse, con toda justicia, diestra. Asimismo, agregamos una innovación, la de sostener el lápiz por el extremo, que introduce elementos de un control más amplio que el demostrado en la mayor parte de las pruebas de este tipo.

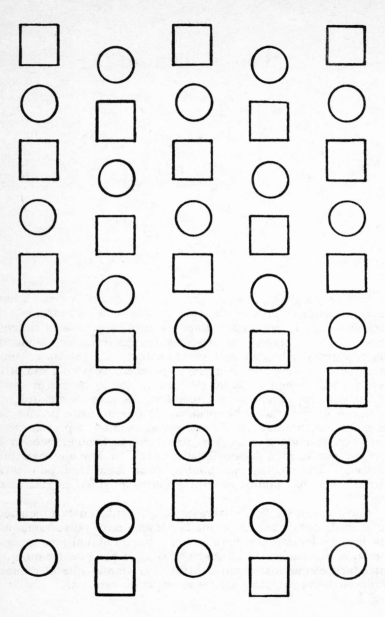

*Primer apartado*

INSTRUCCIONES: *Para hacer esta prueba necesitas un lápiz de 18 centímetros de largo. Coge el lápiz por su extremo sin punta y sostenlo con el brazo tieso delante de ti. Con el brazo y la mano en esta posición, dibuja una X en cada círculo y un punto en cada cuadrado. La X no debe extenderse más allá de los límites del círculo.*
*Practica el ejercicio de prueba de la página anterior, haciendo una línea con la mano derecha y otra con la mano izquierda.*

*Ahora pasa a la prueba de las dos páginas que siguen, y recuerda que la precisión es más importante que la velocidad.*

LÍMITE DE TIEMPO: 1 MINUTO

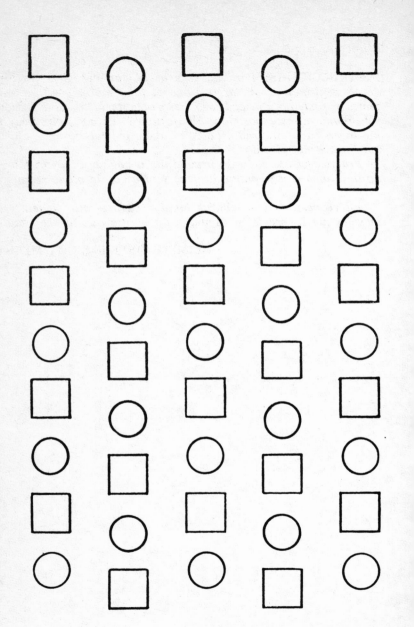

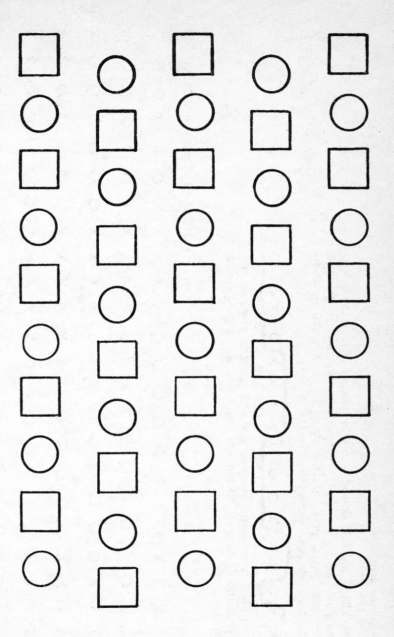

169

*Segundo apartado*

**INSTRUCCIONES:** *Con el brazo, la mano y el lápiz en la misma posición que en el primer apartado traza una raya ininterrumpida por la parte superior de todas las X y debajo de todas las O de cada línea. Por ejemplo:*

20.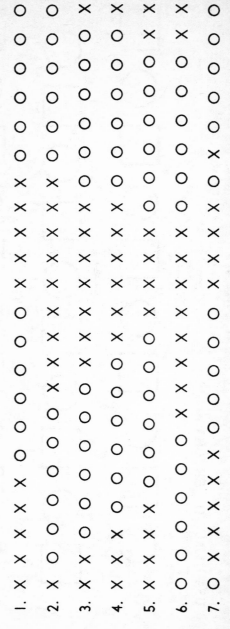

*Utiliza la mano izquierda o la derecha, según prefieras. Debes trazar la raya de tal manera que no toque ninguna de las letras.*

LÍMITE DE TIEMPO: 2 MINUTOS

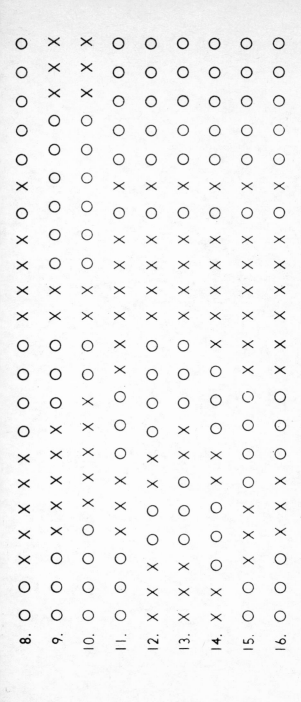

8.
9.
10.
11.
12.
13.
14.
15.
16.

TU PUNTUACIÓN ......
PUNTUACIÓN PROMEDIO: 69

| | | |
|---|---|---|
| SUPERIOR | (DIEZ POR CIENTO MÁS ELEVADO) | 81-98 |
| BUENO | (VEINTE POR CIENTO SIGUIENTE) | 74-80 |
| REGULAR | (TREINTA POR CIENTO SIGUIENTE) | 65-73 |
| DEFICIENTE | (CUARENTA POR CIENTO MÁS BAJO) | 0-64 |

# Soluciones

# Respuestas y puntuaciones

En este libro, las distinciones arbitrarias, como Superior, Deficiente, etc. se han asignado a porcentajes fijos de todo el grupo. Los psicólogos denominan *percentiles* a los límites de cada graduación. Los percentiles se encuentran siempre a una distancia precisa de la media del grupo, distancia que generalmente los psicólogos miden en unidades de *desviación típica*, o s.

Incluimos en esta parte, para quienes se interesen por ellos, los valores s de cada prueba. En cuanto al número de s representadas por las diversas graduaciones que se encuentran por encima o debajo de la media, son las siguientes:

10 por ciento más elevado . . .  + 1,30 s o más
10 por ciento siguiente . . . .  + 0,85 a 1,29 s
10 por ciento siguiente . . . .  + 0,55 a 0,84 s
10 por ciento siguiente . . . .  + 0,25 a 0,54 s
10 por ciento siguiente . . . .  0,00 (media) a 0,24 s
10 por ciento siguiente . . . .  — 0,25 a — 0,01 s
40 por ciento bajo . . . . . .  menos de — 0,25 s

Naturalmente, estos valores sólo se aplican a las pruebas cuyos resultados concuerdan de forma demostrable con las dimensiones de una curva estandarizada de Gauss. En los casos en que la distribución de las respuestas se agrupa en los extremos más elevado y más bajo de la curva, se omiten la desviación típica y el error típico de medida. También se omiten cuando se considera que el número de ejercicios de una prueba es insuficiente para una curva significativa.

Hay que subrayar que, aunque diferentes pruebas pueden proponerse medir las mismas características, dan puntuaciones que sólo tienen una significación relativa entre sí.

Así, el máximo CI que se alcanza en una prueba puede ser aproximadamente de 140 (*Serie Dominion, etc.*), mientras en otras puede llegar a ser tan elevado como 170 o más (*Dearborn, Serie II*). El verdadero grado de inteligencia no está indicado tanto por el CI en sí mismo como por la posición del CI en las puntuaciones alcanzadas por quienes se someten a una prueba específica. El adulto que alcanza una puntuación de 170 en un tipo de prueba no es más inteligente que el que obtiene 140 en otro tipo de prueba, si en ambos casos las puntuaciones se encontraban en graduaciones de percentiles equivalentes de los grupos respectivos.

La escala de puntuación del final de la prueba —que da el grupo mercantil en que está incluida tu puntuación— es, en consecuencia, un índice de inteligencia más fiable que la cifra del CI por sí sola.

*1. ¿Qué es el cociente intelectual?*

1 (2); 2 (1); 3 (27); 4 (3); 5 (12); 6 (F); 7 (F); 8 (9); 9 (V); 10 (1); 11 (b); 12 (4); 13 (3); 14 (4); 15 (3); 16 (4); 17 (15); 18 (77); 19 (3); 20 (4).

21 (4); 22 (2); 23 (J); 24 (8); 25 (H); 26 (Q); 27 (c); 28 (F); 29 (9); 30 (D); 31 (V); 32 (c); 33 (d); 34 (17); 35 (M); 36 (c); 37 (6); 38 (3); 39 (7); 40 (4).

41 (H); 42 (9); 43 (3); 44 (27); 45 (4); 46 (21); 47 (c); 48 (54); 49 (5); 50 (1); 51 (5); 52 (90); 53 (7); 54 (10); 55 (4); 56 (60); 57 (2); 58 (c); 59 (1); 60 (3).

61 (4); 62 (4); 63 (1); 64 (4); 65 (3); 66 (8 ½); 67 (3); 68 (1.140); 69 (2); 70 (5); 71 (5); 72 (4); 73 (30); 74 (SRQ).

75 (4-12-6-2-10-2); 76 (200); 77 (2); 78 (3); 79 (550); 80 (41); 81 (4); 82 (6); 83 (12); 84 (d); 85 (2); 86 (2); 87 (15); 88 (2/5); 89 (5); 90 (V).

Adjudícate 1 punto por cada respuesta correcta. El total de puntos es tu puntuación.

s: 16,5   $s_e$: 11

## 2. ¿Eres adaptable?

(1) 8; (2) 7; (3) B; (4) 12; (5) R; (6) C; (7) 81; (8) 12; (9) ; (10) 2; (11) H; (12) /; (13) ; (14) 140; (15) C; (16) 8; (17) *; (18) *****; (19) 15; (20) S; (21) ; (22) ; (23) ; (24) V; (25) E; (26) 8; (27) 0; (28) 6; (29) e; (30) G.

Adjudícate 3 puntos por cada respuesta correcta.

s: 13,5   $s_e$: 9

## 3. ¿Comprendes realmente?

*Primer apartado*
Leyendo de izquierda a derecha: primera fila, figuras 1 y 6; segunda fila, figuras 1 y 4; tercera fila, figuras 2 y 6; cuarta fila, figuras 4 y 6; quinta fila, figuras 2 y 5; sexta fila, figuras 2 y 6; séptima fila, figuras 2 y 5.

*Segundo apartado*
1-D; 2-I; 3-D; 4-I; 5-D; 6-D; 7-D; 8-I; 9-D; 10-D; 11-I; 12-D; 13-I; 14-D; 15-I; 16-D; 17-D; 18-D; 19-D; 20-D.

Adjudícate 1 punto por cada respuesta correcta del primer apartado y 5 puntos por cada respuesta correcta del segundo apartado. El total proporcionará tu puntuación.

s: 5   $s_e$: 3,4

## 4. ¿Sabes concentrarte?

Hay 143 pares que suman 10.
Adjudícate 1 punto por cada par omitido o erróneamente marcado.

s: 13,8    s$_e$: 9,8

## 5. ¿Cómo funciona tu memoria?

Adjudícate 1 punto por cada respuesta correcta. Para tu puntuación suma los puntos de las dos pruebas.

s: 4,7    s$_e$: 3

## 6. ¿Piensas correctamente?

Uno) 1-V; Dos) 1-F; Tres) 1-F, 2-V; Cuatro) 1-F; Cinco) 1-F, 2-V; Seis) 1-F, 2-F, 3-V; Siete) 1-F; Ocho) 1-V, 2-F; Nueve) 1-F, 2-F, 3-V; Diez) 1-F, 2-V, 3-F; Once) 1-F, 2-F, 3-V.

Doce) 1-F, 2-F, 3-V; Trece) 1-F, 2-F, 3-V; Catorce) 1-F, 2-F, 3-V; Quince) 1-V, 2-F, 3-F; Dieciséis) 1-V, 2-F, 3-F; Diecisiete) 1-F, 2-F, 3-V; Dieciocho) 1-V, 2-F; Diecinueve) 1-F, 2-F, 3-F; Veinte) 1-F, 2-F, 3-V.

Adjudícate 1 punto por cada respuesta errónea y 1 punto por cada respuesta omitida. Suma dichos puntos para obtener tu puntuación.

s: 7,7    s$_e$: 5

## 7. ¿Hasta qué punto eres mentalmente rápido?

*Primer apartado*
(1) 7, 13; (2) U, S; (3) F, L; (4) 200; (5) L; (6) 9, 15; (7) 1, 3, 243; (8) 11, 14; (9) 6, 54 o 9, 54; (10) 23, 30; (11) B, V, U; (12) 200.

*Segundo apartado*
Leyendo de izquierda a derecha y de arriba abajo.

A. 9-9-3; 3-9-9; 9-3-9.
B. 9-9-9-7; 9-9-7-9; 7-9-9-9; 9-7-9-9.
C. 9-8-9-8; 9-9-7-9; 8-9-9-8; 8-8-9-9.


*Tercer apartado*
    1: PAVO; 2: GALLO; 3: LORO; 4: PATO; 5: BÚHO; 6: PERDIZ;
7: MIRLO; 8: GARZA; 9: BUITRE; 10: CUERVO; 11: PALOMA; 12:
ALONDRA; 13: GAVIOTA; 14: GRAJO; 15: ESTORNINO.


*Cuarto apartado*
    1: GATO; 2: TIGRE; 3: ASNO; 4: OVEJA; 5: CONEJO; 6: CEBRA;
7: PERRO; 8: BUEY; 9: ARDILLA; 10: LIEBRE; 11: GORILA; 12: CA-
BALLO; 13: ELEFANTE; 14: CABRA; 15: LEÓN.
    Adjudícate los puntos de la siguiente manera:
2 puntos por cada respuesta correcta del primer apartado.
2 puntos por cada respuesta correcta del segundo apartado.
1 punto por cada respuesta correcta del tercer apartado.
1 punto por cada respuesta correcta del cuarto apartado.
    El total de puntos es tu puntuación.

s: 10     $s_e$: 6,8


## 8. ¿Tienes aptitud para la música?

    1-a; 2-b; 3-a; 4-Agradable; 5-Agradable; 6-a; 7-a; 8-Las notas
deben ser Do-Mi-Sol en cualquier orden, o Do-Mi-La en cualquier orden, o Si bemol combinado con dos de estas notas:
Do-Mi-Sol; 9 y 10; Tu amigo te dirá si es o no correcto.
    Adjudícate 1 punto por cada respuesta correcta.


## 9. ¿Eres apto para los números?

    1) 8; 2) 16; 3) 55; 4) 400 pesetas; 5) 8; 6) 43; 7) 1 ¼ minu-
tos, o 1 minuto y 15 segundos, o 75 segundos; 8) 63; 9) 465;
10) 20; 11) 2/3; 12) 14 dólares; 13) 1 ½ semana o 10 ½ días;
14) sí; 15) sí; 16) 10; 17) A las 15 horas; 18) 24; 19)

$$\begin{array}{r} 7\ 9\ 5\ 4 \\ \times\ 6\ 9 \\ \hline 7\ 1\ 5\ 8\ 6 \\ 4\ 7\ 7\ 2\ 4 \\ \hline 5\ 4\ 8\ 8\ 2\ 6 \end{array}$$

20) B-7, C-6, D-4, E-3, F-2;
21)

$$\begin{array}{r} 5\ C\ 4 \\ \times\ C\ 5 \\ \hline 2\ F\ A\ Y \\ A\ 1\ F\ 6 \\ \hline A\ C\ 4\ 8\ Y \end{array}$$

A-2, C-4, F-7, Y-0

22) 55.

Adjudícate 1 punto por cada respuesta correcta.

s: 3,3    $s_e$: 2,3

## 10.  ¿Sabes obrar reflexivamente?

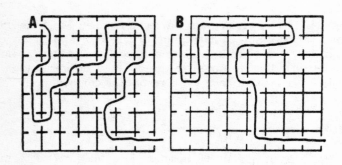

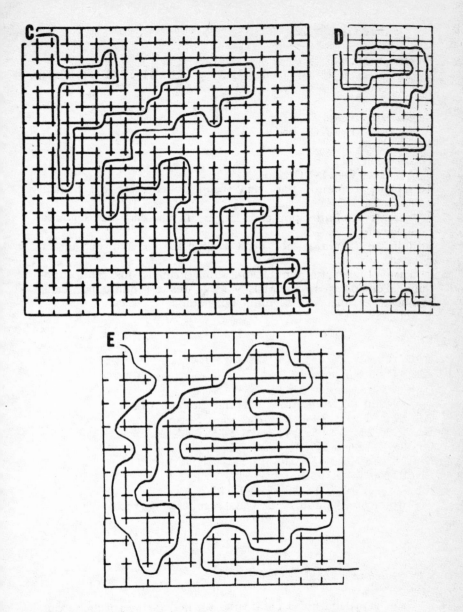

Adjudícate 1 punto por cada respuesta correcta.

## 11. ¿Sabes visualizar?

*Primer apartado*
(1) 6; (2) 5; (3) 8; (4) 7; (5) 5; (6) 11; (7) 6; (8) 6; (9) 8; (10) 5.

*Segundo apartado*
1-NO; 2-SÍ; 3-NO; 4-NO; 5-SÍ.

*Tercer apartado*
A-3; B-4; C-4; D-NO; E-3.
Adjudícate 2 puntos por cada respuesta correcta del primer apartado.
Adjudícate 5 puntos por cada respuesta correcta del segundo apartado.
Adjudícate 5 puntos por cada respuesta correcta del tercer apartado.
Para obtener tu puntuación, suma primero los puntos obtenidos en los tres apartados y luego resta 1 punto por cada respuesta errónea del segundo apartado.

s: 8,3   $s_e$: 5,6

## 12. ¿Tienes inventiva?

Leyendo de izquierda a derecha en cada fila:
A. 1-2 o 2-6; 5; 2-4-6; 4-6; 1; 2-6-7 o 2-4-5-6.
B. 4; 3; 2-6; 1-2-4-5; 2-4-5-6 o 1-2-4-5; 3-4-5.
C. 4-6; 2-3-5-6 o 2-4-6-7; 4-5-6; 2-5-6-7; 1-4-5.
D. 1-5; 2-6-7 o 2-4-5-6; 3-5-6; 3-5; 1-2-4.
E. 1-2-5-6; 2-4-6; 1-3-5; 1-2-4-5-6; 4-5.
F. 4-6; 4-6; 1-3-5; 1-2-4-5-6-7; 1-2-3-4-5-7.
Adjudícate 3 puntos por cada respuesta correcta.

s: 9,8   $s_e$: 6,6

## 13. ¿Puedes responder?

Si esta prueba no la calificaras tú, podría interpretarse que una puntuación baja significa que tienes la costumbre de «mentir para recibir aprobación», un defecto social muy común. No obstante, como en este caso eres tú quien pone las marcas y también su propio juez, una puntuación baja significa, probablemente, que a menudo te mientes a ti mismo. A la inversa, una puntuación elevada probablemente significa que te sientes inclinado a enfrentar las situaciones directamente en lugar de «engañarte a ti mismo».

1. VERDAD; 2. FALSO; 3. FALSO; 4. FALSO; 5. VERDAD; 6. VERDAD; 7. Adjudícate 2 puntos si has respondido VERDAD a esta pregunta y FALSO a la pregunta 11, o si has respondido FALSO a esta pregunta y VERDAD a la pregunta 11. De lo contrario no te adjudiques ningún punto.

8. FALSO; 9. FALSO; 10. FALSO; 11. (consulta 7); 12. Adjudícate 2 puntos si has respondido VERDAD a esta pregunta y a la pregunta 21, o si has respondido FALSO a ambas preguntas. De lo contrario no te adjudiques ningún punto.

13. VERDAD; 14. Adjudícate 2 puntos si has respondido VERDAD a esta pregunta y a la pregunta 20, o si has respondido FALSO a ambas preguntas. De lo contrario no te adjudiques ningún punto.

15. Adjudícate 3 puntos si has respondido VERDAD a esta pregunta, FALSO a la pregunta 19 y VERDAD a la pregunta 24. O adjudícate 3 puntos si has respondido FALSO a esta pregunta, VERDAD a la pregunta 19 y FALSO a la pregunta 24. De lo contrario no te adjudiques ningún punto.

16. VERDAD; 17. FALSO; 18. FALSO (esa palabra no existe); 19. (consulta 15); 20. (consulta 14); 21. (consulta 12); 22. VERDAD; 23. VERDAD; 24. (consulta 15); 25. VERDAD.

Adjudícate 1 punto por cada respuesta correcta, excepto en los casos en que se indica otra forma de puntuación. El total de puntos es tu puntuación.


*14. ¿Tienes sentido estético?*

*Primer apartado*
Leyendo de izquierda a derecha:
Fila uno-2; fila dos-3; fila tres-3; fila cuatro-1; fila cinco-3; fila seis-3; fila siete-3; fila ocho-1; fila nueve-1; fila diez-2.

*Segundo apartado*
1-b; 2-b; 3-a; 4-b; 5-b; 6-b; 7-b; 8-b; 9-b; 10-a.

Adjudícate 3 puntos por cada respuesta correcta del primer apartado, y 2 puntos por cada respuesta correcta del segundo apartado.

s: 7,5     s$_e$: 5

*15. ¿Tienes sentido artístico?*

1. Sí; 2. Sí; 3. Sí; 4. (a) NO, (b) Sí, (c) Sí.

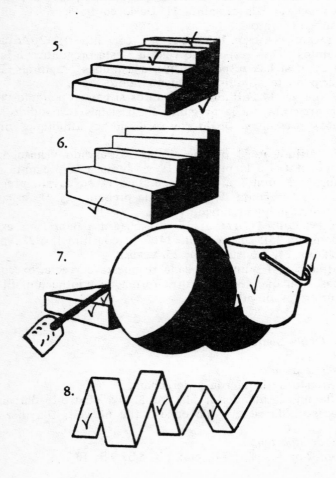

9.

10. (f); 11. (f); 12. (C); 13. ninguna; 14. (a) SÍ, (b) SÍ; 15. NO; 16. NO.

En las preguntas 5, 6, 7, 8, y 9, adjudícate 1 punto por cada borde o superficie correctamente marcado. En las restantes preguntas, adjudícate 1 punto por cada respuesta correcta.

## 16. ¿Cuál es tu estímulo-respuesta artístico?

El objetivo de esta prueba consiste en medir en qué grado respondes al estímulo dado, más que en qué forma.

Por lo tanto, adjudícate 1 punto por cada uno de los números que has escrito, al margen del dibujo con el cual has relacionado la palabra correspondiente.

s: 14    s$_e$: 9,4

## 17. ¿Sabes tener éxito?

¡La gran cualidad esencial para triunfar en esta vida puede ser sintetizada en la palabra *fiabilidad*! Si no se puede confiar en ti, si no eres fiable y honesto en las cosas que haces y en tus relaciones con los demás, la gente acabará perdiendo la fe en ti, al igual que tú la perderás en ti mismo, y tu vida tendrá más de fracaso que de éxito.

De modo que si has acertado un blanco en los cinco intentos, seremos generosos y se lo adjudicaremos a un accidente. Pero si has acertado dos o más en los cinco intentos, has fallado en la prueba, porque sin duda alguna has abierto los ojos y, en consecuencia, no eres de fiar.

18. *¿Eres un buen amante?*

1. NO: un exceso de amabilidad mantiene las distancias.
2. NO: no existe ninguna regla, ya que los individuos varían entre sí. El hombre de la calle ya no desea un ser dependiente y constantemente sometido, del mismo modo que la mujer no desea un dictador egocéntrico a su lado.
3. NO: al amor le va más una conducta natural que artificial.
4. NO: la torpeza es a veces atractiva y, de todos modos, hacer el amor nunca debe ser algo estudiado.
5. (d) es la correcta. Las frases de amor no deben ser repetidas de memoria.
6. SÍ: un buen amante siempre es considerado.
7. SÍ: (véase 6).
8. NO: la monotonía puede destruir el romance.
9. NO: (véase 8).
10. SÍ.
11. Si no has usado más de 5 palabras, adjudícate 1 punto.
12. NO: las actitudes pomposas o forzadas perjudican al amante.
13. (a) SÍ, (b) NO, (c) NO. Adjudícate 1 punto por cada respuesta correcta.
14. SÍ: el buen amante se ocupa de descubrir qué hace feliz al ser amado.
15. SÍ: (véase 8).
16. SÍ.
17. NO: (véase 8).
18. SÍ.
19. (c).
20. NO: si has respondido SÍ, tienes dificultades en abandonarte al romance, en entregarte completamente al amor.

Adjudícate 1 punto por cada respuesta correcta, excepto en el caso de la pregunta 13, en que debes proceder según lo indicado.

s: 3,3    $s_e$ 2,3


19. *¿Gustas a la gente?*

1. NO: aunque la gente te observe todo el día —y por su-

puesto no es así—, debes olvidarte de esa mirada. La excesiva conciencia de ti mismo te vuelve rígido y torpe, y puede tentarte a actuar «falsamente».

2. NO: está bien que des la lata a tus amigos de vez en cuando (para eso están), pero debes saber dónde está el límite.

3. NO: conservar la dignidad a cualquier precio sólo sirve para mantener la gente a distancia. Cuando ocurre algo cómico, por ejemplo, es mejor ceder y reír como todos los demás.

4. NO: es muy fastidiosa la persona que siempre señala que uno es incoherente, ilógico, que está equivocado, etc. La gente tiene derecho a esperar cierta dosis de indulgencia de los demás, salvo que las cuestiones sean de gravedad.

5. NO: la gente es más sensible de lo que generalmente se cree al esfuerzo consciente de otro por «caer bien», y se siente inclinada a reaccionar desfavorablemente.

6. SÍ: demuestra interés y es bastante halagador.

7. NO: mientras la persona que se permite ser blanco continuo de las bromas es considerada como un pobre espécimen, la que ni siquiera puede «aceptarlo» tiene un ego demasiado frágil para poder hacer amigos.

8. NO: por la misma razón de la pregunta 7.

9. NO: a menudo esas personas buscan aprecio y no un duelo de ingenios. La mejor regla consiste en «ser uno mismo».

10. NO: forma parte de la buena amistad adaptarse al estado de ánimo de los otros si no resulta demasiado inconveniente; pero si *siempre* lo haces, darás la impresión de ser un melindroso sin personalidad.

11. NO: uno debe ayudar a sus amigos porque *desea* ayudarlos. Cualquier otro motivo afecta las posibilidades de que te aprecien.

12. NO: para ganar amigos, no te preocupes de ser apreciado por los demás; ocúpate de saber si tú aprecias a los otros.

13. SÍ: cuanto más dés y menos tomes, más probabilidades tendrás de ser popular, a pesar de los argumentos de los cínicos en sentido contrario.

14. SÍ: el amigo de verdad ayuda, aunque no espera ni exige reciprocidad.

15. NO: por la misma razón que la pregunta 5.

16. NO: es mejor sufrir en silencio y dejar que el otro disfrute de su oportunidad.

17. NO: esta reacción se acerca demasiado a la falsedad y

el cálculo; la risa forzada aliena a tantas personas como la sonrisa de superioridad.

18. NO: la franqueza es señal de honestidad y como mínimo se respeta; una disculpa frívola es peor que ninguna, ya que es probable que resulte sospechosa, y nunca es sincera.

19. NO: está bien tratar de ayudar, pero no hasta el punto de machacar; aceptar a una persona tal cual es, incluidos sus errores, despierta su afecto.

20. Sí: en la introducción a esta prueba afirmábamos que la estupidez inofensiva, la tontería y la falta de racionalidad merecen ser condenadas. Esto no significa que cada vez que alguien discrepa contigo —especialmente en cuestiones de poca importancia— debas tratar sin miramientos su opinión. Reflexiona antes de herir el yo de otro, su punto más sensible. La auténtica persuasión se origina en la comprensión del punto de vista del otro.

Adjudícate 5 puntos por cada respuesta correcta.


20. *¿Eres realmente feliz?*

1. NO: para las personas bien adaptadas, las multitudes, cuando significan algo, significan un estímulo.

2. NO: una respuesta afirmativa muestra una desviación de lo normal; puede indicar temores o ansiedades.

3. NO: puede ser sensato, pero un pesimismo rotundo empaña la esperanza y las expectativas esenciales para la felicidad.

4. NO: un optimismo rotundo es anormal y conducirá a más decepciones que las normales.

5. NO: si eso es lo que sientes, puedes ser excesivamente sensible a las trivialidades o perder grandes valores persiguiendo los pequeños; ninguna de estas dos actitudes se parece a la felicidad.

6. NO: la persona que goza realmente de la vida, por lo general ansía «actuar, en este mismo momento».

7. NO: (si tienes 16 años o menos, adjudícate un punto aunque tu respuesta sea Sí). Esos ensueños en una persona madura pueden indicar una inadecuada adaptación a la realidad, o ambiciones reprimidas, deseos imposibles de satisfacer, insatisfacción consigo misma, etcétera.

8. NO: si reconoces que otros elementos juegan un pa-

pel en el éxito o el fracaso, te ahorras muchos angustias, reproches y frustraciones.

9. SÍ: los intereses y entusiasmos intensos, aunque en ocasiones interfieran los negocios y la vida social, contribuyen a una actitud abierta y saludable, con adecuados escapes y alivios de la tensión.

10. NO: una respuesta afirmativa indica como mínimo una leve desadaptación social o biológica; cierta timidez.

11. NO: sea o no verdad, si tú lo *crees* demuestras una mala adaptación a la mitad de los habitantes del mundo, actitud que no conduce a la felicidad.

12. NO: la envidia y los celos destruyen la felicidad. Tu criterio debería ser: a nadie se le paga demasiado; ocurre que a algunos les pagan muy poco.

13. NO: un «sí» sería indicativo de cierta forma de lo que popularmente se conoce como «manía persecutoria».

14. NO: por la razón mencionada en 11.

15. NO: una conclusión razonable es por lo general suficiente para justificar la acción. Sopesar exhaustivamente todas las cuestiones es una tarea imposible, e intentarlo demuestra falta del sentido de las proporciones y es síntoma de inquietud y poca confianza en uno mismo.

16. NO: si te consideras sensible en este sentido, se debe probablemente a que a menudo te sientes herido.

17. (a) SÍ, (b) SÍ, (c) SÍ: sean o no correctas estas afirmaciones, una amplia mayoría de las personas *piensan* que lo son. Si te apartas con demasiada frecuencia de las costumbres y convicciones de tu época —aunque puedes tener razón y ser valiente al hacerlo—, corres el riesgo de ser desdichado.

Si has respondido correctamente como mínimo a una de las tres, adjudícate un punto por toda la pregunta.

18. La fe y su corolario, la esperanza, son esenciales para la felicidad. Un NO por respuesta a las cuatro preguntas indicaría una falta de capacidad para la fe. Un SÍ a las preguntas conflictivas muestra confusión y carencia de fe real.

Si has respondido SÍ a una sola de las preguntas, adjudícate dos puntos por toda la pregunta.

Si has respondido SÍ a (a) y (d), adjudícate dos puntos por toda la pregunta.

Si has respondido SÍ a (b) y (c) o a (c) y (d), adjudícate dos puntos por toda la pregunta.

Otras respuestas no obtienen ningún punto.

19. Sí: por la razón mencionada en 18.
20. Si has respondido FALSO a (a), VERDAD a (b) y FALSO a (c), adjudícate dos puntos.
Si has respondido VERDAD a (a), VERDAD a (b) y FALSO a (c), adjudícate un punto.
Otras respuestas no obtienen ningún punto.
PARA OBTENER TU PUNTUACIÓN: Adjudícate 1 punto por cada respuesta correcta, excepto lo que se indica en las respuestas 17, 18 y 20.

## 21. ¿Sabes interpretar una situación?

1. Debe tacharse la letra «Z» de la primera línea.
2. Debe aparecer una cruz en la primera línea de puntos.
3. Debe aparecer el número «26» en la segunda línea de puntos.
4. Debe aparecer el número «9» en la tercera línea de puntos.
5. Deben aparecer «A, E, I, O» en la quinta línea de puntos.
6. Debe rodearse con un círculo la palabra «ZOO» en la primera línea.
7. Debe aparecer un cuadrado en la sexta línea de puntos.
8. Debe escribirse «5, 6, 7, 8, 9, 10» en la séptima línea, en ese orden.
9. Debe aparecer el dibujo de una pelota en el margen izquierdo de la línea en que aparece la palabra «dibujes».
10. Debe ponerse una coma para que la frase se lea: LO QUE ES, ES.
11. Debe escribirse «ZOWIE» en la octava línea de puntos.
12. Debe haber una línea sobre la palabra «una» de «Traza una línea...».
13. Debe haber una línea bajo la palabra «tres» de «Escribe tres palabras...».
14. Adjudícate 1 punto por cada palabra terminada en «d» que hayas escrito en el margen superior de la página. Si has escrito más de tres palabras, no te adjudiques ningún punto.
15. Debe estar escrito «XYZ» en el margen izquierdo.
16. Debe aparecer tu edad en la última línea de puntos.
17. Debe aparecer la palabra «TÍO» después de la última oración.

Adjudícate 1 punto por cada respuesta correcta, excepto lo indicado en la respuesta 14. El total de puntos es tu puntuación.

s: 2    s$_e$: 1,4

## 22. Pon a prueba tu juicio

1. La señal debe estar en «Si no sabes responder»; 2. La señal debe estar en «Si no sabes responder»; 3. D; 4. D; 5. B; 6. A. Adjudícate 2 puntos por cada respuesta omitida o erróneamente señalada.

## 23. ¿Eres decidido?

Ejemplo I: D, E, G. Ejemplo II: C, G, H. Ejemplo III: C, G, H. Ejemplo IV: 5, 7, 9. Ejemplo V: 2, 3. Adjudícate 3 puntos por cada respuesta errónea, 10 puntos por cada fallo en hacer el número completo de señales, tal como se especifica en las instrucciones.

s: 12,7    s$_e$: 8,6

## 24. ¿Eres minucioso?

(1)15; (2)12; (3)18; (4)6; (5)2; (6)5; (7)5; (8)4; (9)4; (10)1. Adjudícate 2 puntos por cada respuesta errónea y 1 punto por cada pregunta sin contestar. Suma dichos puntos para obtener tu puntuación.

## 25. Pon a prueba tu matrimonio

1. FALSO: esta actitud puede impedir que el resuelto esfuerzo de uno de los miembros de la pareja supere las dificultades que a veces amenazan el vínculo matrimonial.
2. FALSO: aunque a menudo los intereses similares mantienen unido a un matrimonio, se conoce el caso de muchas parejas felices que evidencian una total diferencia de gustos e

191

intereses. Los intereses similares pueden ser peligrosos y conducir al aburrimiento o incluso a una rivalidad desagradable...

3. FALSO: sirve de ayuda, pero se puede prescindir de ella.

4. FALSO: una respuesta afirmativa indica un tipo de ignorancia o insuficiencia peligrosa para la felicidad matrimonial.

5. FALSO: está destinada a cambiar, quizá, pero no necesariamente a debilitarse.

6. FALSO.

7. FALSO: la amistad profunda puede ser el vínculo más intenso entre marido y mujer.

8. FALSO: ¿y los ancianos? Ese tipo de atracción a menudo se desvanece en gran medida, para ser reemplazada por la confianza, el respeto, la amistad, la necesidad mutua...

9. FALSO: la rutina y la falta de espontaneidad son fatales.

10. VERDAD: al margen del aspecto moral de la cuestión, existen datos estadísticos de que esos coqueteos son una válvula de seguridad para las presiones que de lo contrario harían estallar el matrimonio.

11. FALSO.

12. FALSO: una vez más nos encontramos ante el peligro de la rutina. Para que el matrimonio sea feliz, la pareja debe entregarse siempre que lo desee.

13. FALSO: lo demuestran las estadísticas.

14. FALSO.

15. FALSO: quizás una persona ame profundamente a dos miembros del sexo opuesto simultáneamente, pero creerlo posible es una actitud peligrosa para una persona casada.

16. FALSO: algún grado de actividad social es esencial para la felicidad de un matrimonio.

17. FALSO: ver la respuesta a la pregunta 16.

18. FALSO: una actitud demasiado ligera hacia el amor puede debilitar el vínculo matrimonial.

19. FALSO: tiene su aspecto frívolo.

20. FALSO: sirve de ayuda..., pero algunas pésimas cocineras son excelentes esposas.

21. FALSO: en ocasiones, descansar *el uno del otro* representa una gran ayuda.

22. VERDAD: véase la respuesta a la pregunta 21.

23. (c) es la respuesta correcta, la que revela la actitud más apropiada para la felicidad matrimonial.

24. FALSO: compartir todos los temas es, generalmente, la señal más indicativa de un matrimonio feliz.

**25.** FALSO: tal situación no destruirá a un matrimonio a menos que ya no se encuentren presentes las condiciones básicas de la felicidad matrimonial.

Adjudícate 1 punto por cada respuesta correcta. El total de puntos es tu puntuación.

## 26. ¿Sabes tratar a la gente?

Tal vez sepas tratar a la gente, pero seas demasiado precipitado —o demasiado vacilante— para hacer elecciones bajo la presión del tiempo. Si es así, ello significa que podrías no ser del todo eficaz en un amplio espectro de ocupaciones directivas y ejecutivas... por lo que se te impone una penalización en la puntuación.

1. (A); 2. (A); 3. (A) Debes mencionar al empleado tanto tu agradecimiento como tu prioridad; 4. (izquierdo) (pequeño) (derecho); 5. (C); 6. (A); 7. (B); 8. (B); 9. (B); 10. (B).

Adjudícate 3 puntos por cada respuesta correcta.

Resta 5 puntos si en más de dos respuestas has marcado «ninguna elección».

Resta 5 puntos si en ninguna respuesta has marcado «ninguna elección». (Si has respondido correctamente a la pregunta 5, se contará como una de las respuestas «ninguna elección».)

Resta 3 puntos por cada pregunta no respondida.

## 27. ¿Sabes evaluar situaciones?

A pesar del título, ésta es una prueba de ciertas aptitudes que, nos guste o no, parecen caracterizar a una mayoría de los ejecutivos comerciales «con éxito». A los efectos de esta prueba, el «éxito» tiene dos criterios: en primer lugar, un salario elevado y, en segundo lugar, una mayor eficacia en el trabajo, según el juicio de otros ejecutivos. Los factores involucrados parecen sumarse a una especie de armadura contra la crítica moral o ética, la búsqueda de subterfugios y el énfasis puesto en los fines más que en los medios.

1. VERDAD; 2. FALSO; 3. VERDAD; 4. VERDAD; 5. FALSO; 6. FALSO; 7. FALSO; 8. VERDAD; 9. FALSO; 10. VERDAD; 11. VERDAD; 12. FALSO.

Adjudícate 2 puntos por cada respuesta errónea y 1 punto por cada pregunta no contestada. La suma de dichos puntos es tu puntuación.

## 28. ¿Eres ingenioso?

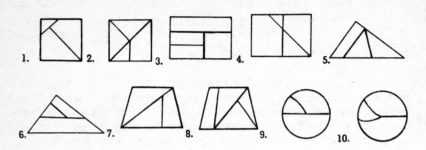

Adjudícate 2 puntos por cada respuesta correcta. Resta 1 punto por cada pregunta no contestada.

## 29. ¿Tienes inclinación por la mecánica?

1-b; 2-a; 3-b; 4-a; 5-b; 6-b; 7-c; 8-c; 9-d; 10-c (puede hacerse girar la tuerca golpeando el borde con el martillo); 11-c; 12-b (el siguiente paso consiste en hacer otro montículo de piedras o tierra debajo del eje trasero. Entonces puedes patear la rueda de recambio para soltarla y la desinflada estará a suficiente distancia del suelo para que la quites); 13-c; 14-c.

Adjudícate 5 puntos por cada respuesta correcta.

A: HABILIDAD PARA MANIPULAR HERRAMIENTAS: Suma esta puntuación a tus puntuaciones en *31. ¿Tienes habilidad motora?*, y *32. ¿Posees destreza?*

s: 35     $s_e$: 23,6

B: COMPRENSIÓN MECÁNICA: Suma esta puntuación a tus puntuaciones en *11. ¿Sabes visualizar?* y *12. ¿Tienes inventiva?*

s: 28,7     $s_e$: 19,4

## 30. ¿Tienes habilidad para la reproducción?

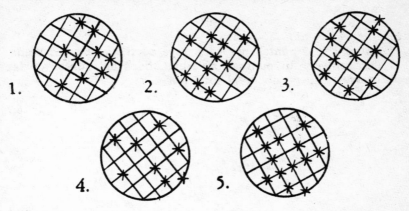

Adjudícate 2 puntos por cada **X** que has colocado correctamente, según los diagramas que aparecen arriba.

s: 8,7    s_e: 5,9

## 31. ¿Tienes habilidad motora?

*Primer apartado*
Adjudícate 1 punto por cada punto que hayas hecho en cualquier lugar de la página.

*Segundo apartado*
Adjudícate 2 puntos por cada punto que hayas hecho dentro de un círculo.

Para obtener tu puntuación, suma todos los puntos de las dos partes y luego divide por 10.

s: 16,5    s_e: 11

## 32. ¿Posees destreza?

*Primer apartado*
Adjudícate 1 punto por cada cuadrado o círculo correcta-

mente marcado. Si el punto está fuera del cuadrado o si alguna parte de la X cruza la circunferencia del círculo, no obtienes ningún punto.

*Segundo apartado*

Adjudícate 6 puntos por cada raya correctamente marcada.

Para obtener tu puntuación, suma todos los puntos de las dos partes y luego divide el total por 2.

s: 10    $s_e$: 6,9

# Indice

# JUEGOS DE INTELIGENCIA

*Libros que estimulan su inteligencia*
*al mismo tiempo que le divierten.*

*Conózcase mejor*
*mediante los*
*auto-test.*

*Juegos y pasatiempos*
*al alcance de todos.*

*El primer libro de*
*gimnasia mental.*

*Juegos y pasatiempos*
*para ejercitar su*
*inteligencia.*

*Un sinfín*
*de problemas y*
*pasatiempos*
*matemáticos.*